有斐閣新書

刑事訴訟法の考え方

佐伯千仭 編

はしがき

刑事訴訟法は、民事訴訟法とともに、いわゆる実体法（民法、商法、刑法など）に対して「手続法」とよばれています。これは、それらが民事上の紛争または刑事上の犯罪事件について裁判所が問題を解決する際の手続きを定める法律だからです。また、それらが「訴訟法」とよばれるのは、その手続きが「訴訟」の形式で、つまり問題の解決を求めて裁判所に訴え出た原告と、訴えられた被告とが、裁判所の面前でたがいに対等平等の立場で攻撃防禦を行ない、裁判所は公平な立場からそのいずれが正しいかについて判断を下すというやり方がとられるからです。このように訴訟という場合には、相対立する原告と被告があり、さらにそのいずれにも偏らず公平な立場から判定を下す裁判所があるという三役がそろっていることが予想されており、さらに原告と被告とは（それを訴訟当事者といいます）法上対等平等の関係にあるのだと考えられています。これを当事者主義とか当事者訴訟といい、また当事者対等とか武器対等の原則とかいいます。民事訴訟の場合にはこの当事者対等の原則が大体そのとおりに実現されているといえるのですが、刑事訴訟では形はそうなっていても、実質はなかなかそうなっていないのです。そこに、実は刑事訴訟法の民事訴訟法に対する特殊性があるといえるのです。

何故そうなのかといいますと、民事訴訟の場合には、たとえば金を借りた人は、期日がくればべつに裁判しなくても返済してくれるのが通常で、例外的に期日になっても返さないひとがあるときに民事訴訟が起こされるのであって、その際にも原告の貸主と被告の借主はともに同じ対等平等の市民どうしですが、刑事訴訟ではまったく事情が違うからです。刑事訴訟で問題となるのは、あるひとの行為が犯罪になるかどうか、なるとすればどのような刑罰が科せられるかというといわゆる刑罰権の実現でありますが、これについては民事上の債権のように義務者の自発的履行による実現ということは考えられません。自ら犯罪を犯しましたと名乗り出る者はめったにありませんし、あってもそのまま刑務所に入れるわけにはいきません。そのためには裁判所の有罪判決による刑の言渡しがなければならず、さらにその判決が行刑機関により執行されねばなりません。しかも、裁判所はひとりで裁判を開始することはできず、そのためには必ず国家機関である検察官による公訴の提起がなければなりません。公訴の提起とは、この被告人はこれこれの犯罪を犯したものであるから法に照らして適当な刑罰を科せられたいという裁判所に対する訴えですが、この公訴を提起する検察官が刑事訴訟における原告になるわけです。刑事訴訟では、私人は、被害者であっても原告の役目を演ずることはできず、その仕事は犯罪に対する強制捜査権を併せ与えられた検察官に独占されているのです。その検察官によって取り調べられ起訴された被疑者が被告になるのですから、両者の力関係には大きな相違があり決して対等平等だとはいえないのです。もっとも刑事訴訟法は、起訴後の公判段階では、この両当事者をできるだけ対等平等に扱っていますけれども、両者の力関係の相違はそれだけではなかなかなくならないのです。

これは、右の公訴提起前の「捜査」段階における両者の関係が公判段階にまで尾をひいているためです。検察官は、司法警察職員とともに、捜査権を与えられており、被疑者に対する逮捕、勾留とか押収、捜索などの強制処分を利用でき、また関係者を参考人としてどんどん呼び出して取り調べることができることになっています。実際には、被疑者は逮捕状により三日、勾留状請求とその更新によって二〇日、計二三日間身柄を拘束され、その間警察官と検察官により徹底的に取り調べられ供述調書をとられたうえで起訴されることが多く、その段階では関係証拠も全部押収されていることが通常です。公判廷に立ったときの検察官と被告人は原告、被告という対等の訴訟当事者であるといっても、決して民事訴訟における原告と被告のように真に対等平等であるといえないことは明らかでしょう。これを対等平等に近づけるために法上いろいろ配慮されていることはさきにも述べたとおりです。例えば憲法と刑事訴訟法には自白の強要を禁止し、黙秘権を保障するとか、捜査中から弁護人の選任を許し、その弁護人は身柄拘束中の被疑者とも立会人なしに接見できること（秘密交通権）になっているなど、できるだけ検察官に対抗できるようにという配慮を払ってはいるのですが、果してそれらだけで捜査段階から尾をひいている両者の力関係の不均衡を回復することができるかどうか問題ですし、またそれらの保障的規定の実際の運用が法の精神にかなうような仕方で行なわれているかどうかもよく見極めねばなりません。

刑事訴訟法は、その第一条に、「この法律は、刑事事件につき、公共の福祉の維持と個人の基本的人権の保障とを全うしつつ、事案の真相を明らかにし、刑罰法令を適正且つ迅速に適用実現することを目的とする。」と定めていますが、個人の権利と自由に対する深刻な干渉を伴う刑事訴訟法の諸問題を考えるに当っては、常に人権保障がおろそかにされないようにという配慮を忘れてはならないのです。

この本は、刑事訴訟法上重要と思われる一二の問題について、右のようなことを念頭におきながら、それぞれの筆者が、独自の立場からその考え方について語ったものです。各項目を読まれただけでもその内容についてよく理解して頂けるはずですが、刑事訴訟法の教科書と併せ読んで下されば一層その理解を助けるだろうと思います。

一九八〇年五月

編　者

目次 5

目次

＊執筆者紹介（執筆順）

松尾浩也　（東京大学教授・第1章）

井上正治　（弁護士・第2章）

庭山英雄　（中京大学教授・第3章）

井戸田　侃　（立命館大学教授・第4章）

横山晃一郎　（九州大学教授・第5章）

鈴木茂嗣　（京都大学教授・第6章）

田宮　裕　（立教大学教授・第7章）

光藤景皎　（大阪市立大学教授・第8章）

高田卓爾　（大阪大学教授・第9章）

佐伯千仭　（立命館大学名誉教授・第10章）

伊達秋雄　（弁護士・第11章）

小田中聰樹　（東北大学教授・第12章）

第一章　訴訟主体

松尾浩也

I　訴訟主体とは何か

▼訴訟の関与者

刑事手続には、多くの人々が関与します。警察官、検察官、弁護士、裁判官、裁判所書記官などの専門的（プロフェッショナル）な人たちもいますし、また、被告人・被疑者をはじめ、証人、参考人、代理人、補佐人、告訴人、告発人など、たまたまその事件に関係する人たちもいます。しかし、その中で、被告人と検察官とは、法廷で当事者として対立し、有罪・無罪をめぐって争うわけですし、また裁判官は、両者の主張・立証に耳を傾けながら、最終的な判定を下すわけです。したがって、被告人、検察官、裁判官の三者は、とくに「訴訟主体」と呼ばれます。

「訴訟主体」というのは、われわれの日常生活では、まず使うことのないことばです。それは、単に訴訟法学上のテクニカル・タームだというだけでなく、外国語（この場合は、Prozeß-subjekt というドイツ語）の訳語だからです。日本の法律学は、明治期以降、西欧の法律学——はじめは主にフランス、のちにはドイツ——を取り入れて急速に発展し、高い水準に達しました。ただその過程で、多くの外来語や外来の観念が用いられ、日本人の日常生活にとけ込まないままで残っていることは事実です。同じような現象は、西欧諸国とローマ法との関係でも見られ、法律家以外には理解し難いラテン語の術語が残存しています。しかし、「訴訟主体」という表現が、関与者、とくに被告人の主体性を鋭く現わしていることにも注意しなければなりません。そこには、通常の日本語では示し切れない「外来の」理念が含まれているのです。

▼訴訟主体としての被告人

明治期より前の刑事手続では、被告人を訴訟の「主体」として把握するという考え方はきわめて稀薄でした。たとえば、江戸幕府の裁判手続では、犯人は奉行の吟味を受け、自白調書（当時の用語では、「吟味詰り之口書」）を基礎として断罪されました。そこでは、「被告人」——むしろ、「被糺問者」——は、手続上もっぱら取調べの客体として位置づけられ、「主体」的な防禦活動や、被糺問者の「権利」というような観念は、すっかり無視ないし軽視されたのです。拷問も、訴訟手続の適法な構成要素でした。

明治に入ってからも、実はしばらくの間、同様な状態が続いたのですが、西欧文明の流入や条約改正の必要という外圧と、人権尊重という国内的な自覚とが相まって、次第に「訴訟主体としての被告人」という考え方が形成され、また制度が改革されていったのです。その節目としては、検察制度の導入（明治六年）、証拠裁判主義の承認（有罪判決のためには自白を必要とするという原則の廃棄、明治九年）、拷問の禁止（明治一二年）などが挙げられます。これらは、西欧諸国が、おおむね一八世紀の後半から一九世紀の前半にかけて経験したものですが、わが国も、一九世紀後半に同じ経験をしたわけです。

Ⅱ　被告人の地位

▼被告人の権利

刑事手続の近代化が、必然的に被疑者・被告人の地位の向上を伴うことは、Ⅰで述べたところから明らかだと思います。ちなみに、「被疑者」というのは、捜査の対象にはなっているが、まだ起訴には至っていない段階を指し、起訴後は「被告人」と呼ぶ例です。明治一三年の治罪法、同二三年の（旧旧）刑事訴訟法、大正一一年の（旧）刑事訴訟法と進むにつれて、被告人の地位に対する配慮は次第に手厚くなってきましたが、なお十分ではありませんでした。この点で飛躍的な前進をもたらしたのは、昭和二一年の日本国憲法で、逮捕、押収、捜索、弁護、迅速公平な裁判、証人審問権、黙秘権、自白の使用制限などの諸点について、被疑者ないし被告人の権利保障を明言しました。昭和二三年の刑事訴訟法は、これを受けて、具体的な手続規定を一新した法律です。

被告人は、ある意味で、刑事訴訟における中心的存在です。それは、裁判の結果によって、現実に深刻な打撃を受けるのは被告人だからです。刑事手続は、被告人の名誉、財産、自由、社会的生命や政治的生命を賭して展開されます。事件の内容次第では、肉体的な生命さえ奪われるかも知れません。そして、——裁判官や検察官には転任や退官もありますが——被告人には交代は許されないのです。かれに各種の権利を与えて自己の利益を守らせ、それによって適正な刑事裁判を実現しようとするのは、近代法がもたらした英知の所産です。被告人の権利にはいろいろなものがありますが、その内容に従って大きく分けますと、訴追や捜査の活動を限定するという意味で、黙秘権や令状主義による保護など、防衛的・消極的な性質のものと、無罪や公訴棄却など自己に有利な裁判を目ざして主張し立証し、あるいはそのための準備をする積極的・活動的な権利とに分けることができますし、さらに、両者を実効あらしめるものとして、弁護人の援助を受ける権利を考えることができます。その詳細は、この書物のほとんど全体にわたって叙述されているわけです。

▼黙秘権

日本国憲法は、「何人も、自己に不利益な供述を強要されない」と定めています（三八条一項）。これが、いわゆる黙秘権の規定ですが、あまり分りやすい条文ではないかも知れません。それは、「強要」ということばの意味をどう理解するかによります。「強要」というのは、自白させようとして殴ったり蹴ったりすることだと考えれば、そんな行為が許されないことは明白ですから、誰でも憲法の規定は当然だと納得するでしょう。しかし、そういう物理的ないし事実的な行動ではなく、法律的・規範的に義務を課することがこの場合の「強要」だとしますと、被疑者・被告人に供述の義務がないと断定することには、ためらいを感ずる人が少なくないでしょう。罪を犯したのではないかと疑われている以上、無実ならば進んでそのことを説明すべきであるし、真犯人ならいさぎよく罪を認めるべきで、黙っていてよいとか、黙秘の権利があるというような考え方には我慢ならないという声も聞かれそうです。中国では、一九七九年七月に新しい刑事訴訟法典が制定されましたが、そこには、「被告人は捜査官の質問に対して、ありのままを答えなければならない」という規定が見られます（六四条）。あなたは、この規定をどう思いますか（いまここで考え、それからこの書物を通読し終ったのちにもう一度考えてみることも有益でしょう）。

法律の規定は、むろん国によって、また時代によって変わり得るものですから、すべての国の法規が一致することは考えられませんし、またその必要もありません。ただ、わが国の場合は、戦前の刑事司法に対する苦い経験から、昭和二一年の憲法制定の際、アメリカ法に学んで被告人の権利保障を強化し、その一環として黙秘権の規定も取り入れたのです。アメリカ合衆国憲法では、“No person shall be compelled in any criminal case to be a witness against himself.”と定められていて、これが、日本国憲法三八条一項の原型となりました。そして、刑事訴訟法は、この規定を受けて、検察官や警察官が被疑者を取り調べるときには、「被疑者に対し、あらかじめ、自己の意思に反して供述をする必要がない旨」を告げるべきこと（一九八条二項）、裁判長も、公判手続の冒頭で、被告人に、「終始沈黙し、又は個々の質問に対し陳述を拒むことができる旨」を告知すべきこと（二九一条二項）などを定めています。黙秘権は、被疑者・被告人を主体的に扱うための重要なファクターと考えられているのです。

▼有罪の答弁および訴追免除

しかし、アメリカ法は、被告人の「主体性」の重視という点では、もう一歩踏み込んでいます。公判手続の冒頭では、裁判官が被告人に「有罪を認めるか？」と尋ね、被告人がイエスと答えた場合は、犯罪事実についての証拠調べが省略されます。あとは、刑の量定が行なわれるだけです。このようなやり方は、アレインメントの制度と呼ばれ、ともすれば「有罪の答弁」をめぐって検察官と被告人・弁護人との間で取引きめいた現象が起るという批判もありながら、刑事司法の効率化のためには必要不可欠な手続とされています。日本にもこの制度を導入したいという意見は、この三〇年来、絶えたことがありませんが、被告人に有罪宣言を許すような制度を認めるわけにはゆかぬという反対論の方がずっと優勢です。

黙秘権についても、アメリカ法は、その働らきが強力なことを前提として、これに対する対抗手段を考案しています。それが、「訴追免除」ないし「刑事免責」と呼ばれるもので、犯人(と思われる者)に不訴追の約束を与え、供述を命ずるという方法です。黙秘権は、「その供述によって有罪とされるおそれがある」ことを理由とするわけですから、訴追の可能性がなくなれば、黙秘権もまた消滅します。したがって、数人の共犯者がいる場合、その一部の者から証言を得て、残りの——罪責が重いと判断される——犯人たちを処罰したいときには、この方法が、いわば必要悪として役に立ちます。昭和五二年、いわゆるロッキード事件に伴う嘱託尋問が行なわれたとき、アメリカ側の証人が「訴追免除」を要求したため、わが国でも多大の注目を集めましたが、逆に言えば、憲法三八条一項の成立から三〇年間、こういう制度の存在にほとんど無関心でいたこと自体、日本における「黙秘権」が、ほどほどにしか扱われてこなかったことを示すものでしょう。被告人の「主体」性の確立は、悩み多い作業だという一面を持っています。

III　弁護人の活動

▼弁護人の役割

弁護人は、訴訟主体そのものではありませんが、被告人ないし被疑者にぴったり寄り添って、これを支える重要な関与者です。弁護人として活動するのは、原則として弁護士——全国で約一万一千名——に限られます（裁判所の許可を得て弁護士以外の者を弁護人にする方法もないではありません）。憲法は、「弁護人」ということばを三度も使って、被疑者・被告人の権利保障に努めようとしています（三四条前段、同後段、三七条三項）。弁護人は、捜査の段階でも、被疑者との面接、勾留からの解放、不起訴ないし起訴猶予処分の獲得など、いろいろな仕事がありますが、とくに起訴後は、検察側証拠の事前閲覧、被告人の保釈の請求、公判期日における立証活動、最終弁論など、その役割りは著しく重大です。

いわゆる必要的弁護という制度は、重い刑にあたる事件に関するかぎり、弁護人が在廷していなければ公判期日を開くことを認めないというもので、「公判」という両当事者対等の場において、弁護人がいないのに開廷することは、——軽微な事件は別として——公益の観点からも許されないことを示しています（二八九条一項）。この制度は、もともとヨーロッパ大陸法系のもので、旧刑事訴訟法などでも採用されていましたが、現行法は、「重い刑にあたる事件」の範囲を広げ、殺人、強盗などはもちろんのこと、傷害、逮捕監禁、窃盗、詐欺、横領などをすべて含めました（「死刑又は無期若しくは長期三年を超える懲役若しくは禁錮にあたる事件」）。そのかぎりで、憲法三七条三項の「刑事被告人は、いかなる場合にも、資格を有する弁護人を依頼することができる」という規定の趣旨が、より良く達成されるのです。

▼私選弁護と国選弁護

被告人または被疑者は、いつでも弁護人を選任することができます。また、被告人・被疑者の配偶者や親兄弟など、一定範囲の関係者にも選任権が認められています。選任の実質は、選任者と弁護人との間の契約ということになりますが、訴訟法上の手続としては、一般に、選任者と弁護人の双方が署名した選任書を裁判所などに差し出すことになっています。弁護人の数も、起訴後は原則として無制限です（特別の事情があればこの限りでない。なお、起訴前は、原則として三人まで）。

以上の「私選弁護」に対して、「国選弁護」と呼ばれるものがあります。憲法三七条三項には、「被告人がこれ（＝資格を有する弁護人）を依頼することができないときは、国でこれを附する」と定められています。私選弁護人を依頼する場合は、当然のことながら相当額の報酬を支払わなければなりません。しかし、刑事事件の被告人は、しばしば貧困その他の理由で弁護人を選任できない場合がありますので、起訴後は、国がその請求によって弁護人を附けてやるのです。そのほか、被告人が未成年者や七〇歳を超える高齢者で、しかも私選弁護人が附いていないときなどは、請求がなくても裁判所の方で弁護人を附けることができますし、また、必要的弁護事件の関係で国選弁護人が附される場合もあります。国選弁護人は、裁判所ないし裁判長による選任命令で弁護人になるわけですが、実際には、裁判所と弁護士会の間の連絡で、スムースに選任されることになっています。なお、国選弁護人は国から報酬を受けますが、国は、被告人が有罪判決を宣告されたときは、訴訟費用の一部として、国選弁護の費用を徴収する場合もあります。ちなみに、私選と国選の比率は、最近の統計によれば、地方裁判所では私選の事件がいくらか多いですが、簡易裁判所では国選が私選の三倍以上になっています。

▼弁護人と裁判所との関係

ここで、弁護人の活動の性質ないし限界について考えておきましょう。弁護人は、私選・国選の別なく、被告人の正当な利益の保護者として、訴訟法の認めた各種の権利を駆使し、最善をつくすのです。そして、被告人に不利益をもたらす行為は、いっさいしないことになっています。たとえば、被告人の有罪を示す明白な証拠があるのに、検察官がそれに気づいていない場合、弁護人はそのことを指摘する必要はありませんし、また指摘してはならないのです。その意味では、弁護人の活動は、もっぱら被告人に有利な方向だけに向けられた「一方的な」ものです。

しかし、それは「無限定の」活動ではありません。極端な例ですが、証人に偽証させたり、虚偽の証拠を出したりしたとすれば、いくら被告人のためだといっても、違法だという評価を免れないことは当然です。いたずらに法廷の秩序を害したり、訴訟を引き延ばしたりすることも許されません。ただ、問題は、適法な弁護活動と不当な弁護活動との境界が、必ずしも明白でない場合もしばしばみられますので、この点について見解の対立を生じやすいことです。しかも、公判期日の指定や、出廷、退廷の当否などをめぐって、しばしば意見はくい違うのです。その対立が弁護人 v. 検察官という形をとったときは、まだしも裁判所の判断を仰いで解決することができますが、弁護人 v. 裁判所という関係で生じたときは、泥沼的様相を呈しかねません。それは、弁護人の「後退」が、被告人に不安や不満をもたらすおそれがあるので、弁護人としても簡単には屈服できない立場に置かれるからです。

このあたりの問題には、法律の規定を整備しても、それだけでは処理しきれず、結局は、法曹としての倫理の問題として考察するほかはないものが含まれています。外国でもとくに論議が多いのは、いわゆる弁護人の真実義務に関する問題です。被告人の有罪を知っている弁護人であっても、無罪の弁論をしてよいことについては、先ほどちょっと触れました。それでは、次のような場合はどうでしょうか。「強盗事件の犯人として起訴された被告人について、弁護人はその無実を確信していたが、しかし、被告人に不利な事実――犯行時刻の五分後に現場近くの喫茶店にいた――が存在することも知っていた。現に検察官申請の証人の一人は、その趣旨にも受けとれそうな供述をした。たまたま弁護人は、その喫茶店のボーイが、当日被告人は来なかったと思い込んでいることに気がついたが、かれを証人に申請してよいだろうか」。どうか一つの応用問題として考えてみて下さい。

Ⅳ　検察官の活動

▼検察官の役割

刑事手続は、捜査に始まって、公訴の提起、公判手続、公判の裁判、さらに状況によって上訴審の手続、刑の執行と続きますが、そのすべての段階で積極的な役割を果すのは検察官です。検察官は全国に約二千名がいて、検事総長を頂点とするピラミッド状の組織で活動しています。検察官は、むろん行政官ですが、しかしその職務権限は司法権の行使に密着しており、行政官一般とはかなり違った性格をもっています。ある程度まで職務の独立性と身分保障が認められ、裁判官類似の俸給表による給与を受け、また、適格審査や定年制の定めに服しているのは、このような特殊性の現われです。

刑事手続における検察官の活動を細かく見ますと、まず捜査の段階では、警察が第一次的な捜査機関ですから、検察官による捜査は、いわば補充的なものです。もっとも検察官による捜査は、社会的影響の著しい事件や、法律上の難問を含む事件などを重点的に取り上げますから、捜査の質という点では大きな意味をもっています。続く公訴提起の段階は、検察官の独擅場(どくせんじょう)です。検察官は、公訴権の行使を一手に引き受けているばかりでなく、その行使について広い裁量権を与えられています(いわゆる起訴便宜主義)。十分な有罪証拠があっても、起訴の必要のない事件だと判断すれば、公訴を提起しないでおくことができるのです。わが国の検察官は、この権限をフルに活用し、公訴提起をするかどうかの判断に非常な精力を使っています。その結果、年々の有罪率は九九パーセントを超え、起訴にはほとんど無駄がないという結果をもたらしています。公判期日には、訴追側の当事者として被告人・弁護人と相対し、積極的な主張・立証を行ないます。上訴審では守勢に廻ることもありますが、つねに一方の当事者であることには変りありません。刑の執行については、検察官はその指揮者です。

▼当事者としての検察官

検察官は、公判廷では被告人とともに訴訟の当事者になるわけですが、民事訴訟の場合の原告が、一般に実生活の上でも事件の当事者（たとえば、交通事故の被害者）であるのに反して、検察官は手続の上だけの当事者です（もし、たまたま実生活上も当事者であるような場合は、その事件の手続には関与すべきでないでしょう）。また、刑事訴追は、国家ないし社会全体の立場から行なわれるので、検察官が犯罪の被害者を「代理」して公訴を提起するわけではありません。ヨーロッパ大陸法では、とくにそのことを強調し、検察官はむしろ国の代理人であって、「当事者」とみるべきではないという主張が有力です。公判廷でも、検察官の座席は、被告人・弁護人より一段高く、裁判官と同じ高さに作られることが多いのです。実は、旧刑事訴訟法までのわが国の法廷もそういう構造でした。

皆さんが裁判所で傍聴ないし見学をしてみられれば、現在では検察官席と被告人・弁護人の席とが、同じ平面に設けられていることがすぐ分りますが、これは、わが国では、検察官の当事者的性格を肯定する考え方が採用されたことを象徴的に示しています。訴訟活動の面でも、旧刑訴までの検察官は、起訴状と一しょに捜査記録や証拠物を裁判所に提出してしまい、あとは裁判所にまかせるという態度でもよかったのですが、現在では、公判廷でひとつひとつ証拠を出して、ていねいに立証しなければなりません。証人尋問の場合なども、以前はまず裁判長が詳しく尋問したのに対して、いまは検察官（あるいは被告人・弁護人）が先に尋問し、裁判官はむしろ補充的に質問をさしはさむのが普通です。手続の「当事者主義化」は大いに進んだことになります。

しかし、民事訴訟の原告ならば、訴訟の目標は単純に勝訴することといってよいでしょうが、検察官の場合は、被告人を有罪にすることないし重く罰することが、訴訟の目標というわけではありません。正しい事実認定と、正しい法の適用を求めることが検察官の任務であり、そのために必要があるかぎり、被告人側に有利な行動もためらわずとらねばなりません。検察官には「客観義務」があるといわれることがありますが、それは、検察官のもつ複雑な行動原理を直観的に表現しようとするものです。

V 裁判所の役割

▼職責の重さ

どんなに複雑困難な事件であろうと、最後に結着をつけるのは、裁判所の判断です。憲法は、「すべて司法権は、最高裁判所及び法律の定めるところにより設置する下級裁判所に属する」と規定し、また裁判所法は、裁判所は、「一切の法律上の争訟を裁判」する旨の規定を置いています。神ならぬ人間が、争いの解決者として選んだのが、少なくとも制度上は「裁判所」です。そして、裁判所を構成する裁判官は、「憲法及び法律にのみ拘束され」ながら、

「その良心に従い独立してその職権を行」なうべきものとされています（憲法七六条）。裁判官の責任は、民事・刑事を問わず、きわめて重いのです。私の同級生で裁判官の道を選んだ人々は、おそらく私の大学教授としての給与よりもはるかに多額の俸給を受けているのだろうと想像しますが、しかしそれは当然のことだと思います。裁判官の職責は、それほど重大なのです。

英米法系の裁判では、陪審制度が行なわれていて、素人の陪審員が事実認定を一手に受けもっています。また、ヨーロッパ大陸や中国大陸でも、参審制が採用されていて、専門家としての裁判官のほかに素人の参審員が加わり、裁判の全体に協力しています。これらの制度は、むろん裁判に国民一般の健全な感覚を生かすという積極的な意図に基くものですが、同時に、裁判官の責任を著しく軽減することになるわけです。これに対してわが国の裁判官は、すべての責任を一身に担わなければなりません。人が人を裁くことの厳しさは、たとえばトルストイの名作「復活」にえがかれているとおりです。私が感銘を受けた裁判官のかたの歌を掲げることを許していただけましょうか。

鼠もちの花うとましく咲く朝わが決断に迫られてゐし

控訴棄却を言渡されし被告人がわれを視つめて暫し動かず

――浦辺衛『ある裁判官の回想記』より――

▼公平な裁判所

裁判所が、信頼される裁判をするための拠り所は、「公平な裁判所」としての建前を貫くことです。裁判官には、民事・刑事ともに、除斥・忌避・回避の制度があって、いささかでも「不公平な裁判」のおそれがあるときは、裁判から除外される仕組みになっています。また、とくに刑事訴訟については、憲法は被告人の権利として「公平な裁判所の裁判」ということを要求しており、この趣旨に添って、裁判所は極力予断を排除し、公判廷における両当事者の主張・立証を虚心に聴いて裁判の基礎とするのです。すでに説明した「当事者主義化」は、まさにそのためのものでした。真実の発見という目的にとっては、裁判所が積極的に証拠を探索した方が効果的な場合もあるかも知れません。しかし、それでは、裁判所の「公平さ」が失なわれるか、そうでなくとも「公平さに対する信頼感」が傷つけられるおそれがあります。わが国の刑事訴訟が、昭和二三年という時点で、ヨーロッパ大陸法系から英米法系への移行という決断を敢てしたのは、――占領軍の要望という外的事情もさることながら――右の点に対する深い配慮が働いたからにほかなりません。それから三〇年、わが国の刑事訴訟は、結局独自の成長発展をとげてきたように思われますが、どこに日本的な特色があるのかは重要な問題です。皆さんは本書の全編からその解答を見出されることでしょう。

第二章　捜査行為の限界

井上正治

I　糺問捜査と弾劾捜査

捜査の態様を二つに分けて、学説は、糺問捜査と弾劾捜査の区別があることを明らかにしました。公判手続における集中審理方式――これは実務の提唱したところでした――とともに、弾劾捜査の強調――これは学説が提唱したものです――は、刑事訴訟の実践はいかにあるべきかを考えるにあたり、戦後刑事訴訟法の施行のなかで獲得された貴重な業績でした。そして、前者は継続審理としてはっきり立法化されました（刑訴規則一七九条の二）。弾劾捜査については、いままでのところ新たな立法はありませんが、つねに具体的事例を通し「捜査行為の限界」として検討が重ねられていかなくてはならない問題です。

弾劾捜査とは何か。そのためには、弾劾捜査と対蹠的に用いられる糺問捜査の構造をまず考えてみることが理解に便利です。結論的にみておくと、いわゆる予審の制度をおく刑事手続は、いまいう糺問捜査の典型です。西ドイツ刑訴法を例にとって検討してみることにしましょう。

▼糺問捜査

一九七五年西ドイツの「刑訴法改正第一法律」はついに予審を廃止しはしましたが、一八七七年の刑訴法ならびに裁判所構成法は、予審をいわゆる中間手続としておいていました(第二編第三章)。捜査およびこの中間手続は、あわせて公判前手続とよばれ、公判手続たる主手続のために事件の解明を司ったのです。前手続とはすなわち捜査を目的とするものであり、かくて、西ドイツ刑訴法において捜査は、むしろ予審を中心に裁判官が担当してきました。検察官は階層組織のなかにあるため(いわゆる検察官同一体の原則)、独立した裁判官に委ねてこそ、公正な捜査を保障できると考えられたのです。それゆえ予審事件の管轄はひろがりました。ライヒ裁判所の刑事事件(国家保安事件)、陪審事件——しかも旧裁判所構成法第八〇条、第七三条により陪審事件の管轄はいっそう拡げられました——、などのばあいには必要予審事件であったのであり、さらに、検察官はラント裁判所の管轄事件についても予審の申立をすることができました。そこで、検察官の手により事件の解明ができなかったばあいには、検察官は予審を申立てることにより公訴を提起することになります。捜査は、むしろ予審を中心にしてあったといってよいでしょう。

▼わが国の予審捜査

予審をおく捜査の構造は、わが旧刑訴法にもみられ、ここでも、捜査は予審判事による予審が大きなウエイトを占めていました。わが国における予審も、いちおう検察官が捜査をし、それでも事件を解明できなかったばあいに、予審を求めるべく公訴を提起する手順となっていました。予審は公訴提起後の手続でしたが、予審判事が公判に付すべき嫌疑があるかどうかを決定するのですから、公判前手続であり、いわば捜査に属すべき手続でした。

予審の手続は公開されません。予審においては被告人は取調の客体としてあったため、その手続は秘密主義でした。しかも、予審調書は、その後の公判手続においてゆるがすことの難しい証拠となりました。公判手続は、事務引継の形をとってこの予審調書を中心に進められていきます。このような予審手続には、はっきりと糺問訴訟の残滓がみられるのであり、それゆえにこそ、予審をもつ捜査は、糺問捜査といわれえたのです。

▼公訴提起前手続としての予審

糺問捜査をより徹底させようとするなら、旧西ドイツ法や旧刑事訴訟法のように、予審を公訴提起後の手続とすることなく、公訴提起前の手続として位置づけることとなるでしょう。現にそのような手続は旧軍法会議法にみられました。旧軍法会議法においては——その他の手続はほとんど旧刑事訴訟法と本質的に異なるものがなかったにもかかわらず——、捜査手続だけはより一層徹底した糺問捜査の形をとっていました。旧軍法会議法は、検察官が一応捜査して、その公訴提起後に予審手続が開始されるという制度をとりませんでした。検察官は、ほとんど捜査をなすことなく、事件を受理したならば自動的に予審を請求しました。ここでは予審は公訴提起後の手続ではありません。予審が終了したならば、事件は再び検察官に返され、検察官は、予審の結論にしたがって公訴を提起します。ここには、徹底した糺問捜査がみられます。

▼取調べの客体としての被疑者

被疑者が取調べの客体であるところに、糺問捜査といわれるものの特徴があります。被疑者（予審においてはいうまでもなく被告人）は取調べの客体であるため、裁判官が予審に干与するのでした。予審調書は、予審判事という裁判官が作成したものだからということを理由に、公判手続においてはゆるがすことのほとんどできない書証となりました。公判手続はむしろこの予審調書を法廷に顕出するための手続だったのです。予審手続の前に、公判手続の形骸化がみられました。

▼予審制度への批判の動き

もちろん、予審を中心としてある公判前手続につき、改正意見はこれまでにもいろいろと提起されてきました。あるいは、予審は必然的に糺問的なものとなるのでそこで作られた予審調書を公判手続へ引継ぐことは防止すべきであるとする意見もあります。けれども、西ドイツにおいては、裁判官の事前の捜査記録の閲覧とその公判での利用は、公判手続を適切効果的にする訴訟指揮のために欠くことができない、という考え方が根強くありました。わが国においても、当時、実務家のなかから、よき裁判官は捜査記録を十分に予習して法廷にのぞむべきである、とする声すら聞かれたのです。いまとはまったく違います。わが現行法は公正な裁判を保障するためそうした制度を捨てました。しかし、西ドイツ法は、後にも述べますように、予審が廃止された現在においても、裁判官による捜査記録の引継ぎの制度を捨ててはいません。

あるいはまた、糺問的な予審を批判して、それを英米法にみられる予備審問の方向に改正しようとする動きもありました。予審の手続もかくて、秘密密行的にではなく、検察官と弁護人の干与のもとに進められるべきだというわけです。これは予審を弾劾的に構成しようとする努力の一つでした。しかし、糺問的職権的手続こそが真実発見の途であると確信する西ドイツ法は、予審において弾劾的当事者主義的構造を受入れることをためらいました。それゆえ、この考え方はすでに早く二〇世紀のはじめには捨てられています。弾劾的当事者主義的構造は西ドイツ法としっくりいかないという声は、わが国の制度と比較して考えるときに、興味深いことです。

▼真実発見と被疑者の人権

西ドイツの刑事裁判においては、真実発見こそがすべてであるということです。真実発見のためにはやむをえず被疑者の人権も犠牲とされることがあります。一例をあげれば、一九六四年の刑事訴訟の小改正前には、定期的な勾留審査の手続はありましたが、被疑者の勾留に期限はなかったのです。一九二六年の改正は、検察官による勾留の期限を除きました。英米法流の考え方からすると大変な問題です。

右にみたように、一九七五年の「刑事訴訟法改正第一法律」は、ついに予審を廃止して、それと引換えに検察官の地位を強化しました。現行法では、公判前手続は、すべて検察官および警察の手によって行われます。こうなると、公判前手続というよりはむしろ端的に捜査とよぶべきです、捜査には裁判官の干与はなくなりました。裁判官は「法を語る」べきであり、捜査をなすべきではないということです。

ところで、予審の廃止にともない、検察官の権限が強化されて、検察官は、証人および被疑者を召喚することができ、この召喚に応じなかったときには、検察官は証人および被疑者を勾引して翌日一ぱい拘禁することもできます。また、証人は検察官の質問にたいし供述する義務があります(被告人にはその義務はない)。証人が理由なく供述義務に違反したときには、検察官はその証言拒否から生じた費用を負担させ、また制裁金を課すことができます。この制度には裁判官によるチェックがないところに、批判を免れえないものがあるといわれていますが、西ドイツでは、予審が廃止されても糺問的捜査の構造からきれいに足を洗うことはできなかったというところでしょう。

▼検察官の客観義務説

西ドイツ刑訴法においては、きわめて例外のばあいを除き、検察官の公訴提起は起訴法定主義の支配するところだったので、裁判官の公判開始決定によって公判手続に移行しました。裁判官が刑事訴訟手続のほとんどすべてを支配したのです。裁判官と被疑者・被告人は当事者としての関係にあったのではありません。裁判所の実体解明義務からみて、被疑者はたんなる取調べの客体だったのです。そこで、予審が廃止されても、捜査において検察官と被疑者を対立する当事者としてみることは困難でした。むしろ、検察官は被疑者と対立する当事者としてあるべきではなく、検察官は被疑者のためにも真実を解明しなければならないとさえいわれます。いわゆる検察官の客観義務なる学説も、こうした思想が背景となって生まれてきたものというべきです。西ドイツの刑事司法において、検察官の地位は特徴的なものということができますが、それゆえ、やはり弾劾的捜査といわれるものからははるかに遠いといわねばなりません。

となると、わが国において検察官の客観義務を唱える一部の学説も、意識・無意識のうちに、弾劾的捜査を否定する方向にあるのではないでしょうか。もちろん、検察官は、巨大な人的組織のなかにありまたすぐれた物的設備をもつのであり、そのうえ法律的にみるときには捜査において強制手段に訴えることもできる途が開かれています。検察官は、弁護人にたいしはるかに優越した立場にあります。そこでは、武器平等の原則ということをいってみても、それは絵に画いた餅に等しいのであり、検察官がもし被疑者・被告人のためには捜査しないとなれば、被疑者・被告人の地位は著しく悪化してしまいます。そこで、検察官の客観義務説は、検察官の捜査は被疑者・被告人のためにもあるべきだとされます。しかし、検察官の客観義務こそあまりにも観念的な提唱であって、それがいわゆる糺問捜査の構造を完全に払拭しようとしないところに、逆に被疑者の人権を危くするのです。

被疑者は取調べの客体ではありません。弾劾捜査なるものは、まずここからはじまるのです。検察官は、被疑者・被告人にとって、敵対者以外のなにものでもありません。

▼刑事裁判の手続と民事裁判の手続の違い

そこで、刑事訴訟においては、なによりも人権的観察方法ともいうべき視点から出発しなくてはなりません。「真実」といわれるものもこの被疑者・被告人の人権の問題の深さに比べれば、むしろ二の次です。ここでいう人権的観察方法の問題を基礎理論のなかから考えてみましょう。

刑事裁判の手続と民事裁判の手続とは、同じく訴訟とはいっても、本質的に違わなくてはなりません。これを一つの訴訟法学として、同じ方法論に立って研究しようとすることは、重大なものを看過することになります。

▼民事訴訟の目的

まず、民事訴訟の目的を考えてみましょう。民事訴訟は紛争の解決を目的とします。紛争の解決のために裁判所という公正な第三者の判断にすべてを委ねようとするのです。裁判所の判断がかりにも公正な第三者の判断として通用するためには、訴訟手続は合理的なものでなくてはなりませんが、この手続的な保障ということは、紛争の当事者にとっては二次的なものであり、民事訴訟にとって第一次的な目的は、紛争当事者が自らの紛争を裁判所に判断してもらおうとするところにあるのです。裁判所の判断したところが、よく真実に合致するかどうかには必ずしも拘わりません。裁判所が判断した――もちろん合理的な手続によって――ということが、ひとまず紛争解決に資する（窮極的な紛争解決になるというのではありません）わけです。それゆえにこそ、裁判所の判断には規範性が認められなくてはならないのであり、既判力の存在理由もここにあるのです。既判力が認められるから、一事不再理の効力があるのであり、一事不再理の効力は既判力の存在が前提となります。このように、民事訴訟においては裁判所の判断を重視するために、ここではいわゆる訴訟状態説が妥当します。

▼刑事訴訟の特質

刑事訴訟ではこれとは異なり、訴訟状態説はまずどうでもよいでしょう。重要なことは、当事者間（裁判所を含めて）の関係を権利義務の法律関係として構成すべきだということです。本稿と関連した問題として強く指摘しておけば、刑事訴訟においては、裁判所が被告人に敵対して第二の検察官たることを防止しなくてはなりません。裁判所は被告人の人権のためにこそあるのです。検察官にたいし司法的抑制をつくすことに裁判所の目的があるのです。裁判所の判断形成のことはむしろ副次的・一次的なものにすぎません。既判力の理論なるものは問題にはならないのです。ただ人権的抑制から一事不再理の効力が認められるという順序となるだけです。人権的観察方法はここから出発します。

かくて、分業的にいうなれば、実体の解明は検察官の仕事であり、裁判所は捜査および訴追にたいし、人権的抑制を果すところにその任務があることになります。しかし、公判手続において裁判所に捜査における人権的監視を期待することは、いうべくして容易なことではありませんので、弁護人の——検察官にたいしていえば——任務こそが、この捜査における人権的監視にあるといわねばなりません。

こうした観点から最近実務にみられた二、三の問題をとり上げて検討してみましょう。そこに、弾効的捜査とは何か、そしてまた、現行法あるいはその実務的解釈がそれとどう距離をおいているかが明らかとなるでしょう。

II　捜査行為の制限

▼被疑者の弁護人選任権

弁護人の重大な任務の一つは、捜査の人権的監視にあります。そして、そのためには、捜査段階の被疑者についても弁護人が付けられる必要があるのです。現行法は私選弁護人については、それを認めています。被疑者についても弁護人を付することができます（三〇条）。しかし、国選弁護人の任命は被疑者には認められないのです（三六条参照）。

イタリア憲法第二四条第二項は、「弁護は、訴訟手続のいずれの段階においても、侵すことのできない権利である。」と規定しています。それゆえ、弁護人が選任されていないときには、予審判事、検察官、裁判長または治安判事は、職権で弁護人を選任することになります。

西ドイツの一九六四年「小改正」では、必要的弁護事件のばあいには公判前手続においてすでに弁護人を任命することができます（一四一第三項）。弁護人をできるだけ早い時期に任命させようとする制度は、とくに、弁護人による捜査の誤りの発見という人権的監視に大いに貢献することになります。そのうえ、弁護人の権利としてとくに強調しておかなくてはならない点は次のことです。西ドイツにおける「小改正」以前の手続においては、起訴後にはじめて検察官調書の閲覧権がありました。一九六四年の「小改正」はこの制限を撤廃し、弁護人は公判前手続のいかなる段階においてもその閲覧が認められることになりました。もちろん検察官はそのため以降の捜査を危うくする虞れのあるときは、これを拒否することができますが、検察官によって実際に拒否されることは稀であるといわれています。

ちなみに、アメリカのミランダ事件（一九六六）においては、警察における被疑者の尋問においても被疑者には弁護人選任権が認められました。弁護人は警察の尋問に立会うことができるということです。連邦最高裁判所は、警察に拘禁され敵意ある官憲にとりかこまれ警察による尋問にさらされている人は、やむなく供述すべく強制される結果になるのであり、現実に照らすとき、警察の尋問中孤立させることの強制は、しばしば公平な傍聴人がいる法廷よりははるかに強力なものである、といいました。しかし、警察の取調べ中の弁護人の国選という制度は、西ドイツにもありません。

ところが、わが国ではどうでしょうか。刑訴法三九条三項は、「検察官、検察事務官又は司法警察職員（司法警察官及び司法巡査をいう）は、捜査のため必要があるときは、公訴の提起前に限り、第一項の接見又は授受に関し、その日時、場所及び時間を指定することができる。但し、その指定は、被疑者が防禦の準備をする権利を不当に制限するようなものであってはならない。」としています。

▼弁護人との接見交通

わが国において、実際に被疑者と弁護人の接見はどうなっているでしょうか。捜査機関は被疑者が拘置されている監獄の長にたいしあらかじめ弁護人が具体的に日時・時間・場所を指定した具体的指定書を持参しないかぎり被疑者に接見させてはならないとする一般指定がなされています（一般指定は文書によってなされる場合と口頭によってなされる場合がある）。

実務においては、このような制限をおくことを違法とする裁判例もありますが（東京地決昭和四五・四・一判時五九五号一〇二頁、福岡地決昭和四七・五・二五判時六九七号一〇五頁）、これを適法とする裁判例もあります（神戸地決昭和四六・七・六判時六三九号一一二頁、東京地決昭和四七・六・一五判時七〇八号一〇八頁）。接見の時間もわずかに一五分ないし二〇分に制限されるのが通常であり、逮捕直後または逮捕された当日は弁護人の接見は拒否されがちです。あるいは、接見の回数を制限して、すでに十分に接見はなされていることを理由に捜査機関により接見が拒否されることもあり、被疑者の取調べは執務時間外にもなされていますが、弁護人との接見は日曜日、祝祭日、土曜日の午後、平日の午後五時以降などは拒否されてきました。

元来、右の三九条三項にいわゆる「捜査のため必要があるとき」の解釈については、実務家にみられる見解と学説との間には対立がありました。実務家は、罪証湮滅の虞れのあるばあいを含めてとにかく捜査の目的を達するに障害になるときをいうようにあいまいに解しますが、学説は限定的に、被疑者を現に取調べているかまたは取調べようとしているばあい（検証や実況見分に立ち会わせる場合も含む）に限るのです。また有力な学説によれば、取調べを中断してでも弁護人に接見を許可しなければならないばあいがあるとさえ説かれます。

▼**接見交通に関する判決例**

この「弁護人と被疑者の接見交通権」につき、民事事件においてではありましたが、最高裁判所第一小法廷は昭和五三年七月一〇日次のように判決しました（民集三二巻五号八二〇頁）。

「捜査機関は、弁護人等から被疑者との接見の申出があったときは、原則として何時でも接見の機会を与えなければならないのであり、現に被疑者を取調中であるとか、実況見分、検証等に立ち会わせる必要がある等捜査の中断による支障が顕著の場合には、弁護人等と協議してできる限り速やかな接見のための日時等を指定し、被疑者が防禦のため弁護人等と打ち合わせることのできるような措置をとるべきである。」と。本件につき、原判決は、「捜査員が弁護人から接見を求められた場合、捜査主任官の指定がないことを理由に接見を拒むことは許されない。けだし、その場合、捜査員としては接見要求を捜査主任官に取次ぎ、速やかに接見日時の指定を受けてこれを弁護人に告知すべきであり、この手続をとらない以上接見を拒み得ないと解すべき」ものとまで判示しました。

わが国においては、被疑者にたいする警察の取調べに弁護人の立会いは認められていませんし、また捜査段階にあって弁護人には捜査記録の閲覧権はありません。そのうえ、被疑者との接見交通権が著しく制限され、とくに捜査がうまくいかなくなるというような理由で拒否されるようなことでは、弾劾捜査の要請はその第一歩において否定されることになります。

弁護人の被疑者との接見交通権は、まず十分に保障されるところがなくてはなりません（右の判例にたいする評釈はいろいろと発表されているが、とくに、佐藤博史氏の警察研究五〇巻九号九八頁以下の評釈は、実務家の体験をふまえて、きわめて鋭い論作である）。

▼ **捜査官による被告人の取調べの適否**

「捜査官による被告人の取調の適否」についても、一つの判例がありました（最決昭和三六・一一・二一刑集一五巻一〇号一七六四頁）。「一九八条の『被疑者』という文字にかかわりなく、起訴後においても、捜査官はその公訴を維持するために必要な取調を行うことができるものといわなければならない。なるほど起訴後においては、被告人の当事者たる地位にかんがみ、捜査官が当該公訴事実について被告人を取り調べることはなるべく避けなければならないところであるが、これによって直ちにその取調を違法とし、その取調の上作成された供述調書の証拠能力を否定すべきいわれはなく、また、勾留中の取調であるのゆえをもって、直ちにその供述が強制されたものであるということもできない。」と。

この判例において、被告人の「当事者たる地位」に一応着目された意味は少くありません。本件以後の下級審の判決例のなかに、被告人の当事者たる地位をもっと尊重しようとする傾向のものがみられました。昭和五〇年一月二九日の東京地裁決定（刑事裁判例月報七巻一号六三頁、判時七六六号二五頁）は、「当事者として弁護人の立会のもとで供述する権利」を本質的なものとして説示しました（右最高裁判例については警察研究四八巻一二号四二頁以下に松尾浩也教授の評釈がある）。

この判例に関連して、とくにここで指摘しておきたいことは、次のことです。弾劾捜査観を強調して、有力なる学説は、第一九八条第一項但書の解釈について、逮捕・勾留されているばあいであっても、被疑者は捜査機関による取調べを拒否して取調室から退去できると解すべきであり、そうでないと黙秘権の保障も実質を失うといっています。

西ドイツの「第一次改正」にみられた検察官の権限と対比して考えるとき、彼此の相違を顕著にみてとることができます。そこにおいては、たしかに予審は廃止されたが、検察官の強大な権限を前提にするならば、やはり糺問捜査を完全には払拭してはいないのです。弾劾捜査を徹底させようとすれば、被疑者の退去権を保障しなくてはなりません。

しかし、反面、ミランダ判決のいうごとく、たとえば警察の取調べには、「孤立させられることによる強制」があります。被疑者は、学説の説くように、自由に退去できるでしょうか。それは難しいはずです。それができるためには、弾劾捜査を徹底させて、被疑者といえども取調べの客体ではなく、被告人と同じように「当事者たる地位」を保障されていると考えるべきなのです。

右の判例に即して、下級審では、捜査機関の被告人にたいする取調べには弁護人の立会いを要求するものが出てきました。かくて、わが国においても、ミランダ事件のように、被疑者の取調べに弁護人の立会いを認めるところにまで進むことも、そう難しいことではなさそうにさえ思われます。

実体真実の解明は人権の保障に席を譲るべきです。もともと、取調べの目的を達するうえに妨げとなるということでは、弁護人の被疑者との接見交通権を拒否できなかったはずです。となると、現行法上も、被疑者の取調べに弁護人を立会わせえないと解すべき障害もないとさえ思われます。少くとも、被疑者が取調調書に署名押印するとき（一九八条四項）には、弁護人を立会わせることはできないものでしょうか。

▼未決勾留の期間

被疑者の取調べは、勾留を手段として行なわれます。西ドイツの「小改正」は、未決勾留を六カ月と改めました。六カ月の未決勾留ということでは長すぎます。ここにも糺問捜査の残滓があるのです。わが現行法は、未決勾留の期間を原則として十日間と規定しています（二〇八条一項）。延長しても二十日です（同条二項）。この短かすぎるかにみえなくもない勾留期間は、弾劾捜査の踏ん切りの決断ではないでしょうか。

ところが、実務においては、この短かすぎる勾留期間を脱法するかのごとく、別件逮捕・勾留のむしかえしがなされます。逮捕・勾留理由たる事実と余罪が密接に関連する場合に、余罪取調を合法とし、その余罪を理由とする再度の逮捕・勾留を逮捕・勾留のむしかえしに当らないとした事例が最高裁判所によって判示されています（最決昭和五二・八・九刑集三一巻五号八二一頁、この判例については、きわめて、詳細な研究として警察研究五〇巻一一号七八頁以下に渥美東洋教授の評釈がある）。そのいうところは、「いまだ証拠の揃っていない『本件』について被告人を取調べる目的で、証拠の揃っている『別件』の逮捕・勾留に名をかり、その身柄の拘束を利用して、『本件』について逮捕・勾留して取調べるのと同様な効果を得ることをねらいとしたものである、とすることはできない。」と。また、逮捕勾留による別件の取調中に本件の証拠を発見蒐集したものであり、「専ら身柄拘束期間の制限を免れるため」、「罪名を小出しにして逮捕・勾留を繰り返す意図のもとに」、各別に逮捕・勾留を請求したものではない、と判示しました。これは例の狭山事件における決定です。

▼別件逮捕

別件逮捕の問題については、下級審において、現在まで多くの判断があります（渥美教授の右の評釈に詳しい）。その一つとして、東京ベッド事件（東京地判昭和四五・二・二六刑裁月報二巻二号一三七頁）では、逮捕・勾留の理由と必要が持続して具備していたとしても、手続上明示されない余罪の取調べを認めることは司法的抑制機能をくぐり、被疑者の防御権を実質的に阻害することが多いが、(1)被疑者が自ら進んで余罪の自白をしたとき、(2)余罪が逮捕・勾留事件より軽微か、同種犯罪か、密接な関連事犯である場合、(3)本件と別件が捜査機関により当初より併合捜査されておらず、別件捜査中、本件逮捕・勾留事由が発見された場合などには、特別の事情を認めて余罪捜査は許されると判示しています。このように具体的標準をかかげてみることも一応の標準にはなりますが、別件逮捕として違法か否かの判断は、そもそも専ら本件の捜査のために別件に藉口したか否かに係るのであり、別件についての逮捕・勾留が必要性と相当性をもつならば、別件逮捕に名を藉りたものではないとして、別件逮捕も適法とみるべきです。本件につきどの限度の取調べができるかは、また別問題でしょう。

▼弾劾捜査の理想

こういう深刻な問題が出てくることも、わが国の捜査は勾留して自供を得ることを建前としているからです。弾劾捜査の理想とするところは、被疑者の身柄を拘束することなく事件を捜査することを建前としなくてはなりません。西ドイツの「小改正」においても、証拠湮滅の虞れのあるばあいを勾留理由にかかげました。わが国においても、六〇条一項二号は、「罪証を隠滅すると疑うに足りる相当な理由」を勾留理由としました。そのばあいは必要的保釈からもはずされているのです（八九条四号）。ところで、黙秘権を行使すれば、証拠湮滅の虞れがあるとするのが実務であって、そういう理由から、否認すれば、すなわち、身柄を拘束して自供を強いることになります。身柄を拘束すれば、強制の雰囲気は一層強くなるでしょう。

ここにおいて、きわめて尖鋭に、実体解明の要求と人権保障とが対立します。一方は検察官に代表される糺問捜査の執着であり、他はすなわち思い切った弾劾捜査の要請です。後者の徹底は、唇から証拠をとることを拒否するところまでいかなくてはならないはずです。

Ⅲ　むすび

本稿は、「捜査行為の制限」の問題として、弾劾捜査の実態を明らかにすることに目的をおいたつもりです。「捜査行為の制限」としては、むしろ所持品検査の問題にこそ言及しなければならなかったかもしれません。職務質問に附随する所持品検査の適法性につき、「捜索に至らない程度の行為は、強制にわたらない限り、たとえ所持人の承諾がなくても、……許容される場合がある。」(最判昭和五三・六・二〇刑集三二巻四号六七〇頁、同昭和五三・九・七刑集三二巻六号一六七二頁）とする判例があるのです。これは、ばあいによっては所持者の承諾がなくて所持品を開披することが許されるとしたものであり、大いに実務にも影響を及ぼすに違いありません。多くの人を説得できるだけの説明をつけることが難しい判例であることから、重要だと思われます。博多駅事件の判例とどう関係するか、ここでは深く立ち入って論及することができません。それを解く鍵は、しかし、弾劾捜査の構造と関連させて考えるところにあるものと思われます。

第三章　公訴権の濫用

庭山英雄

I　画期的な二つの判決

▼はじめに

私に与えられたテーマは「公訴権の濫用」ですが、これは、検察官が自分達だけにしか与えられていない起訴権限を濫用した場合に、どういう法的制裁を加えることができるかという問題です。この問題を考えるにあたっては、高田事件判決と寺尾判決との二つの判決の検討を欠かすことはできないと私は考えています。さしあたり、高田事件判決の検討から始めましょう。

▼高田事件判決の意義

一橋論叢の昭和四九年一月号に「高田事件判決と公訴権濫用論」という論文を書いたこと

があります。この論文は、迅速な裁判に関する高田事件判決が当時学界で論争の的となっていた公訴権濫用論と密接な関係にあることを論証しようとしたものでした。高田事件判決は「不当な訴訟遅延は免訴でもって制裁できる」としたものですが、これを訴訟条件との関連で見ると「超法規的な訴訟条件の存在を認め、それを欠くときは形式裁判で手続を打ち切ることができる」と解しうるものでした。いわゆる公訴権濫用論は、検察官の公訴権の濫用を形式裁判で制裁しようという発想でしたから、右のような内容を持つ高田事件判決を見逃す手はありませんでした。

高田事件判決の有用性を声高に叫ぶのには実は訳がありました。高田事件というのは名古屋で起きた公安事件でした。私はその被告人たちの苦しい生活を見聞きしていましたから、かねてからなんとかしなければならないと考えていました。ですから名古屋高裁の判決が出た直後、弁護人からの依頼を渡りに舟とばかりに理論面で協力を開始しました。一時期かなりの時間を割きました。そしてようやく免訴という形で被告人を救出することに成功しました。

ところが判決直後より学界の一部からごうごうたる非難が起きました。「変な判決を引き出してくれた。同判決は訴訟促進政策推進に利用されるだろう。」というのでした。その後の司法政策の展開は批判のとおりでしたから、口惜しいけれどどうしようもありません。しばらくはほんとうに辛い思いをしました。そんな思いの中で「高田事件判決にも利用可能ないい面がある」と言おうとしたのが、冒頭に掲げた私の論文だったのです。

▼寺尾判決の内容

次に寺尾判決について説明します。寺尾判決というのは川本事件判決(チッソ水俣病補償請求関連傷害事件判決、東京高判昭和五二年六月一四日判時八五三号三頁)の別名です。判決裁判所の裁判長の名を冠してそのように呼び慣らわされているのです。

本件被告人Kは、水俣病患者ならびに支援者とともにたびたび東京本社に赴き、チッソ社長ら首脳部に面会を要求しました。これを阻止しようとした同社従業員との間でしばしばこぜり合いが起きました。その間に被告人Kが同社従業員に対し暴行・傷害を負わせたとして起訴されたのが川本事件といわれるものです。弁護人が「本件起訴は公訴権濫用によるものであるから公訴棄却すべきだ」と主張したのに対し、第一審判決は右主張を排斥して罰金五万円執行猶予一年に処しました。被告弁護側がこれを不満として控訴したところ、控訴裁判所は次のように述べて画期的な公訴棄却判決を下しました。

「検察官の不起訴処分に対しては、準起訴手続や検察審査会の制度があり、これによって不当な不起訴処分は是正されようが、起訴処分に対しては、予審や大陪審の制度もない現行刑訴法のもとでは、直接これを抑制する刑事手続上の制度は存しない。従って、公訴権濫用に対する救済の方法は、起訴処分に対する応答の形式を定めた刑訴法三二九条以下の条文に依拠して決められるが、訴追裁量を著しく逸脱した公訴の提起は直接には起訴便宜主義を定めた刑訴法二四八条に違反するものであるから、同法三三八条四号にいう公訴提起の手続の規定に違反したものとして、同条による公訴棄却の判決がなされるべきであると考える。」

▼寺尾判決の意義

これまでにも、「捜査の違法が公訴提起の効力に影響を及ぼすことがある」とした下級審判決はありましたが、直接、起訴便宜主義違反を明言したものはありませんでした。従前、学説が提唱した公訴権濫用論は刑訴法二四八条にもとづく検察官の訴追裁量権の濫用を中心としたものでしたから、本件判決は公訴権濫用論の理論的中核を是認したものとして注目に値します。しかし判決理由を仔細に検討してみると、本件はかなり特異なものであることがわかります。

会社側は永年にわたり廃液を流して多数の水俣病患者を発生させたにもかかわらず、検察官はこれを起訴せず、一方、会社従業員に暴行・傷害を加えたとされる被告人Kを直ちに起訴するのは明らかに差別であり、この差別は検察官に与えられた訴追裁量権の範囲を逸脱する。これが寺尾判決の論理でした。普通考えられる差別のケースは、同じような行為を行なった二人の被疑者がいて、一方が起訴され他方が起訴されないといった場合でしたから、本件がきわめて稀なケースであることは否定しえません。しかし、理論的には、同判決はきわめて周到かつ慎重な配慮のもとに出されており、決して突飛なものではありません。たとえば立証の要件については、間接証拠による立証を許すとしながらも通説にしたがって主観的要件の立証を要求しています。

昭和五二年初夏に右に示したような寺尾判決が出たとき、実務も遂にここまできたかと本当にうれしくなりました。と同時にほうっておいたら最高裁でつぶされると考え、法律誌に積極的に働きかけて座談会（渥美・後藤・錦織・庭山「川本事件と公訴権濫用」法律時報四九巻一三号三二頁）を開いてもらいました。同座談会で私が力説したのは、①公訴権濫用の基礎理論は高田事件判決においてすでに最高裁の認めるところであり、②民主自由社会において裁判所が訴追をコントロールできるのは当然であるから寺尾判決はごくナチュラルといえる、との二点でした。

それが原因かどうか知りませんが、川本事件に関して「公訴棄却あたりまえの会」というのが東京に生まれて私をびっくりさせました。

Ⅱ　公訴権濫用論の必要性

▼**起訴便宜主義**

刑訴法二四八条は「犯人の性格、年齢及び境遇、犯罪の軽重及び情状並びに犯罪後の情況により訴追を必要としないときは、公訴を提起しないことができる。」と定めており、これは起訴便宜主義と名付けられています。「便宜」というやや軽薄な感じのする訳語がつけられていますが、これはドイツ語を直訳したためであって、別に検察官に彼らの「便宜」に判断することが許されているわけではありません。当該事件につき十分な嫌疑があり、一定の訴訟条件も備わっていて起訴が可能な場合であっても、検察官が「刑事政策上訴追をしない方がよい」と考えるときは、これを起訴しないですますことができると言っているだけです。よくいわれる起訴猶予とはこのことを指します。

右の起訴便宜主義に対置されるのが起訴法定主義です。現在西ドイツでとられている原則で、不起訴の場合が予め法定されており、わが国におけるような広範な起訴猶予事由は認められていません。起訴便宜主義の延長と考えられている公訴の取消も認められていません。そして西ドイツで起訴便宜主義がとられていないのは次のような欠点があるからだとされています。①政治的・社会的考慮による影響を受けやすい。②訴追が公益に合致しているか否かの判断を検察官はなしえない。③管轄区域の異なることによって刑法適用上不平等が生じる。④不当な不起訴に対する予防措置が十分でない。

わが国は世界に冠たる中央集権的統一的検察制度を持っていますので右の③の批判はあたりません。また、不当な不起訴に対する救済措置を備えているので④の批判があたるかどうかは説のわかれるところです。その他の批判はわが国の問題状況をズバリ言いあてているように思われます。

▼**不当な不起訴の抑制**

すでに触れたごとく、わが国には不当な不起訴に対する抑制措置が定められています。①告訴人等に対する不起訴処分通知（二六〇条、二六一条）、②準起訴手続（二六二〜二六七条）、③検察審査会による審査（検審）、④監督権の発動による審査（検察庁）、以上四つがそれです。

ところで、これらが有効な抑制手段であるか否かについては疑問がないではありません。少しきびしすぎるかも知れませんが、私の見るところは次のようです。右の①においては、告訴・告発人の請求があるときには、その理由をできるだけ詳細に伝えるべきものと定められています（二六一条）が、実際には、起訴猶予・罪とならず・証拠不十分・刑事未成年の四種のいずれかを請求人に告げれば足りるとされており、検察官に対する心理的抑制効果しか期待できません。②は国家訴追・起訴独占主義の唯一の例外であるが対象とされる犯罪がかぎられているばかりでなく、その審理手続も原則として非公開かつ職権主義的で実効を挙げえないうらみがあります。③については後述するので④に移ると、これも旧裁判所構成法の抗告制度に比べるとはるかに非力です。

こう見てくると不当な不起訴に対する抑制措置も期待されるほどのものではなく、その実効を期するためには、不当な起訴に対する場合と同様に、広く司法への民衆参加を実現するほかないということになります。

▼司法への民衆参加

「公訴権濫用をチェックするのには民衆参加の方式によるのが本筋だ」としばしば言われます。まことにごもっともです。しかしわが国でそう簡単に司法への民衆参加が実現できるものなのでしょうか。私はこの点についてははなはだ悲観的な予測しか抱いておりません。

まずさきほど割愛した検察審査会について考えてみましょう。よく知られているようにそれはわが国に現存する唯一の民衆参加方式です。その唯一の検察審査会にさえ、不当な起訴に対する監督権限は与えられていません。終戦後の司法の民主化にさいし、連合軍総司令部からアメリカにならった大陪審制度（民衆代表が起訴・不起訴をチェックする）を設けるよう要請されましたが、当時の立法者群はこれに激しく抵抗し、現行の中途半端な検察審査会制度の採用にとどめてしまいました。

その運用の実際においても種々弱点が目につきます。まず、昭和二三年の発足当初においては予算面でも比較的恵まれていましたが、その後は今日まで予算・設備・人員など種々の面できびしい制約下におかれています。次に、検察審査会の議決に拘束力がないだけでなく、運用上においても右議決が検察庁によってあまり尊重されていないうらみがあります。さらに検察審査会の起訴相当・不起訴不当などの議決に対する事後措置について、検察官から検察審査会への報告が義務づけられていません。そして最後に、検察官が不起訴裁定をしたさい、告訴人・告発人・被害者などに「検察審査会に申立できる」旨告知することも義務づけられていません。

▼官僚刑事司法の伝統

民衆刑事司法と呼ばれる英米刑事司法では民衆参加の度合が強く、アメリカには起訴陪審、審理陪審、素人判事の三制度があり、イギリスにも審理陪審、素人判事、参審（プロ一名とアマ三名とで量刑までやる）の三制度があります。一方、官僚刑事司法と呼ばれる大陸法系統の刑事司法においてさえ、西ドイツ、フランスなどに参審、スイス、ベルギーなどに陪審が存在します。ところが日本には、同じ大陸法系の国でありながら陪審はおろか参審さえもありません。

わが国にもかつて陪審制度が存在しました。大正陪審法と呼ばれるものがそれです。しかしそれは陪審とは名ばかり、陪審の特質をすべて奪ってしまった官僚司法的陪審制度でしたのでわずか一四年（昭和三〜一八年）でつぶれてしまいました。これを逆に言いますと、わが国に陪審が根づくためには、検察制度や三審制度などに根本的な手なおしを加えなければならない、となります。それが不可能ならば陪審を採用しても無理です。再び大正陪審法の轍を踏むことになるでしょう。ある学者は日本への陪審導入には一〇〇年の歳月を必要とするとも言っています。

このような状況ですから、ここ当分、日本において司法への民衆参加は実現しそうもありません。そうだとすれば、現行法のわくの中で公訴権濫用をチェックする方法を考えるほかありません。日本の官僚刑事司法の構造をそのままにしておくかぎり、公訴権濫用論の必要性は増大しこそすれ減少することはありえないといえます。

それでは現行刑訴法理論の中でどのように公訴権濫用論を具体化するか。これが私達に課された課題です。以下、議論がかなり専門的となり、初心者にはむずかしいかと思いますが六法全書を片手にがまんして読んでみて下さい。

Ⅲ　公訴権濫用論と訴訟条件論

▼公訴権と訴訟条件

公訴権というのは、検察官が訴追を行なうことのできる権能のことです。その法文上の根拠は二四七条、二四八条にあります。この公訴権の内容は、私見によれば二つの要素から成り立っています。一つは訴追の理由であり、もう一つは訴追の必要性です（ここで勾留の要件について思い出して下さい）。

訴追の理由とは、検察官が有罪の可能性ある嫌疑ないし証拠が存在すると考えることを言います。検察官が捜査の結果を総合して、右の嫌疑が存在すると考えればそれでいいのです。そのかぎりで、主観的なものと言って差し支えありません。次に訴追の必要性とは、二四八条に掲げられた起訴猶予事由が存在しないと検察官が考えることを言います。刑事政策の一端を担う検察官が、犯人の性格その他を考慮して起訴猶予事由がないと考えればそれでいいのです。その意味ではこれも主観的なものだと言って差し支えありません。起訴便宜主義の法制のもとでは、訴追の理由、訴追の必要性の両者がそろって初めて具体的公訴権が発生すると考えられます。右の具体的公訴権が発生した場合、検察官は事件を放置しておくことは許されません。

さて、訴訟を有効に進めるための条件である訴訟条件には手続条件と追行条件との区別があります。手続条件とは、それが欠けたままの状態では訴訟追行を許さないものを言います。そしてそれが欠けた場合、管轄違（三二九条）もしくは公訴棄却（三三八条、三三九条）という形式裁判による制裁を受けます。次に追行条件とは、それが欠けた場合にはおよそ訴訟追行を許さないものを言います。手続条件のように後に補完することはできません。たとえば「時効が完成していないこと」という追行条件（三三七条四号参照）を思い浮かべて見て下さい。一旦完成した時効を旧に復することは不可能です。つまり時計の針は逆転しえても時間の流れをせき止めることはできないのです。この種の追行条件を欠いた場合、免訴でもって訴訟が打ちきられます。免訴という名の形式裁判による制裁を受けるのです。

右のような訴訟条件は、さきにも触れたとおり、公訴権行使のための有効要件です。そしてこの要件を被告弁護側から見たとき、それは一種の応訴拒否権（裁判に応じない権利）であることがうなづかれます。したがって、検察側が訴訟を打ちきられないためには、訴訟条件の存在を裁判所に確認してもらう必要があります。

▼開かれた訴訟条件

公訴権論は訴訟条件論に解消されるという考え方があります。それは「訴訟条件論はいかなる条件下で訴訟追行が可能かという議論であり、訴訟追行には公訴権行使も含まれるからあえて公訴権論までする必要はない。」との発想にもとづくものです。しかし、この考え方は職権主義的だといえます。裁く側の方から訴訟を眺めていると考えられるからです。上から見て作られた法定の訴訟条件（三三七～三三九条）つまり類型的訴訟条件の中に被告人の防御権がすべて具体化されていれば問題はないのですが事実はそうでないので結果的に被告人の防御権が侵されることになります。旧来の訴訟条件論（さきの公訴権論解消論）には検察官の公訴権を一定限度制約しうるメリットがありますが、逆に被告人の防御権を押え込んでしまうデメリットがあります。これを職権主義的訴訟条件論と呼ぶ所以です。

これに対し当事者主義的な訴訟条件論では、訴追側の公訴権を認めると同時に、被告弁護側の防御権にも十分配慮しなければなりません。この立場で考えるとき、先述のとおり訴訟条件は被告人にとって応訴拒否権、訴訟全体にとって訴訟障害と考えられるのです。ところで被告人の応訴拒否権は憲法の保障する人身の自由（憲法一三条）によって基礎づけられているので、訴訟条件を厳格に刑訴法所定のものにかぎるのは不当です。明文の訴訟条件にしても、厳格解釈により類推適用を認めない態度も不当です。「人身の自由」を保障する見地からして、被告人の防御に必要なものについては、超法規的訴訟条件としてこれを認めなければなりません。

右の趣旨の訴訟条件論は「開かれた訴訟条件」論と呼ぶことができます。そこでは二種の訴訟条件が考えられます。一つは裁判所の職権調査になじむ類型的訴訟条件、もう一つはその審査を被告人の申立にかからせる非類型的訴訟条件です。この新らしい訴訟条件論は次の特徴を持つことになります。第一に、既存の訴訟条件についてゆるやかな解釈を許します。たとえば、公訴棄却事由の三三八条四号は包括規定（他の公訴棄却事由は同号の具体化）と解され、免訴事由の三三七条各号は例示的列挙と解されます（したがって超法規的免訴事由を認める）。第二に、非類型的訴訟条件については被告人の申立をまって裁判所が審査します。

▼ **近時の判例の動向**

右のような考え方はすでにかなり以前から判例に現われていました。昭和四八年三月一五日最高裁第一小法廷は、非反則行為として通告手続を経ないで起訴された事実が公判審理の結果反則行為に該当すると判明した場合には三三八条四号により公訴棄却すべきだとしました。これは同号を包括規定と解しているものと考えられます。次いで昭和四八年七月二〇日最高裁第二小法廷が、具体的ケースとしては該当しないとしながらも高田事件上告審判決の論理を踏襲しました。これは開かれた訴訟条件論を再確認したものと解されます。

下級審における展開はより具体的でした。昭和四八年五月二日川本事件において東京地裁は、公訴権濫用が一見明白で特段の証拠調を必要としない場合を除いては冒頭手続における主張は許されないと判示しました。これは非類型的訴訟条件の欠缺(けんけつ)の主張も場合により冒頭手続で可能であることを示したものといえます。続いて昭和四八年八月一〇日、札幌高裁は芦別国家賠償請求事件において、捜査・起訴・訴訟追行の許否の判断基準として、経験則に照らしてその合理性を肯定しうるか否か、と判示しました。これは具体的ケースとしてはあたらないとしながらも、公訴権濫用の判断基準を示したものとして注目に値します。

さきに挙げた寺尾判決も、このような判例の積み重ね（他にも沢山ある）の上に生まれたものであって決して忽然と出現したものではありません。

Ⅳ　公訴権濫用の種類と内容

▼濫用の種類

公訴権濫用については種々の分類がありますが、判例・通説は①客観的嫌疑なき起訴、②訴追裁量を逸脱した起訴、③違法捜査にもとづく起訴、の三つに分類しています。私はかつて①嫌疑に客観性のない場合、②起訴猶予すべきなのにしなかった場合、③起訴の前後を問わず広くデュー・プロセス違反のあった場合、の三つに分類していました。これは高田事件上告審判決の論理の延長上で考えていたからであって、寺尾判決という具体的判例を持った今、あまり自分の分類に固執するつもりはありません。重要なのはどうやって寺尾判決を維持発展させるかです。ここでは判例・通説の分類にしたがって少し考えてみることとします。

▼第一種

いわゆる嫌疑なき起訴もこれに含まれます。全く嫌疑がないのに検察官が起訴することは通常考えられませんが、公安労働事件ではそれに類する例がないわけではありません。この種の公訴権濫用が主張された当初の論拠は、客観的嫌疑が存在しないときでも一市民がいやおうなく手続に引き込まれる非合理に着目したものでした。審理の結果たとえ無罪となったとしても、長期間自由を拘束される不利益はおおうべくもありません。そして訴訟条件との関係でいうと「客観的嫌疑の不存在は一種の訴訟条件の欠缺となる」との主張だと言っていいでしょう。

この主張に対しては二つの方向に批判が展開されました。一つは、客観的嫌疑を訴追要件として要求することは捜査を精密化・長大化して当事者主義の訴訟構造をくずすとするものであり、もう一つは、本来、審判の対象である実体（嫌疑）を訴訟条件とするのは矛盾だとするものでした。

私にはこの批判は正当のように思われます。公判の冒頭で嫌疑の客観性の有無を判断するためには、ある程度実体審理に入らなければなりませんが、実体審理に入りながら実体審理開始のための要件を審査するというのはやはり変です。たとえ両者が区別できたにせよ、もし裁判所が客観的嫌疑ありと判断するならば、予断排除の趣旨にも反するのではないでしょうか。また、実際上第一種は次の第二種でほとんどすべてカバーできると思われます。

▼第二種

この場合は第一種と異なり、実体とは別の訴追の必要性についての客観性の有無の問題ですから、これを一種の訴訟条件と解しても理論的矛盾は生じません。ここでの問題の中心は差別的起訴をどう扱うかです。差別的起訴にも二種があります。一つは、二四八条で検察官に委されている刑事政策の範囲内で差別する場合です。たとえば貧しい老人が食物を盗み、通常起訴猶予に付される軽微事件なのに起訴されたといった場合です。もう一つは起訴基準そのものに偏向があり、とうてい検察官にゆだねられている刑事政策の範囲内とは考えられない場合です。前者の判断は容易ですが、後者はそう簡単ではありません。しかし実際上公訴権濫用が問題となるのはほとんど後者であり、しかも公安労働事件がすべてだと言って過言ではありません。

公安労働事件でこれまで苦労してきた多くの弁護士たちは寺尾判決の出現に勇気をえたようです。これで弾圧起訴をはねかえすことができると考えたようです。公訴権濫用の主張は無罪立証と異なり、攻守処を変えます。これまで防戦一方だった公安労働事件の被告弁護側は今度は進んで撃って出ることができるのです。それだけに検察側としてはなんとしても寺尾判決を上告審でくつがえさなければなりません。最高裁がこれをどのように裁くか、興味津々といったところです。

▼第三種

この種の公訴権濫用も、理論構成は別としてこれを肯定するのにほとんど問題はありません。むしろ問題はこれを起訴前手続の違法にかぎっておいてよいかという点です。たとえば公判の過程で検察側が故意に無罪証拠を隠してしまうような場合については、さかのぼって起訴が無効になると考えてもいいのではないでしょうか。この場合の制裁方法としては公訴棄却と免訴との双方がありますが、要するに訴訟が中止されることが重要なのですから、その名目はどちらでもよいと私は考えています。

第四章　起訴状一本主義

井戸田　侃

I　起訴状一本主義の意味

▼起訴状一本主義とは

起訴状一本主義とは、公訴を提起するにあたっては、一定の事項を記載した起訴状――起訴状には、被告人の特定のほか、「公訴事実」欄には訴因の明示、さらに罪名、罰条の記載が要求されます（刑訴法二五六条）。――のみを裁判所に提出しなければならない原則です。したがって、審理し、判決をくだすべき裁判官に事件につき予断を生ぜしめるようなおそれのある書類その他の物を添付したり、その内容を引用するなどはしてはならないことをいいます。その意味で別名を予断排除の原則ともいわれていますが、これは審理をする裁判所が事件についてその黒白に関し予断をもたず全く白紙の状態で公判期日の審理にのぞむという方法です。刑事訴訟法二五六条六項が、「起訴状には、裁判官に事件につき予断を生ぜしめる虞のある書類その他の物を添附し、又はその内容を引用してはならない。」と定めているのが、この原則的な規定です。しかしこのほかにもこれを前提とする規定は数多くあり、刑事訴訟法、刑事訴訟規則において一〇カ条余りの多くの条文がみられます。たとえば公訴の提起後、公判期日の審理がなされ、証拠調があって証拠が裁判所へ提出されるまでは、勾留するかどうか、保釈するかどうかなどの決定をするのはその事件につき審理する裁判所とは別の裁判官がすることになっている（刑訴法二八〇条）のもこのあらわれです。というのは、勾留するかどうか、保釈を許すかどうかを決定するためには、捜査中に収集された証拠をみなければならないからです。

▼起訴状一本主義は、なぜ重要なのか

以上のことからはっきりしましたように、この問題はもともとどういう方法によって公訴提起をすべきかという公訴提起の方式に関する問題であるわけです。その意味ではたいして重大問題ではないようにみえます。しかし実は決してそうではないのです。というのは、

(1)　この問題が捜査手続と公判手続とを結ぶ中間に位置し、それは捜査手続の終点であるとともに公判手続の出発点となる問題であるからです。ですから起訴状一本主義は、全刑事手続の問題点の多くに、直接、間接に結びつく基本的論点のひとつであることを知ることが

必要でしょう。

(2) 現在、この問題が重要視されている理由はもうひとつあります。それはこの問題が、戦前の旧刑訴法から現在の刑訴法へと一八〇度の転回をもたらした問題であるからです。このようなわけですからこの原則は、現行刑事手続の特色を代表する非常に重大な基本問題であるといわねばならないでしょう。

旧刑訴法においては、公訴提起にさいしては起訴状とともに捜査手続中に集めた捜査記録や証拠物すべてを裁判所に提出し、裁判官はこれらの記録や証拠をあらかじめ十分に検討し、事件の内容をよく理解したうえで公判期日の審理にのぞむことになっていました。つまり現行法とはむしろ完全に反対のやり方をとっていたわけです。こんにちでも西ドイツ、ソ連など大陸諸国の手続はこういう方法をとっていますが、英米の手続においては、事実の存否を判断する陪審員などはあらかじめ証拠などをみることは許されず、事件については全く白紙の状態で法廷にのぞむ、そうして法廷における審理をとおして起訴状記載の事実があったかどうかを決めることになっています。

(3) そのようにして、この一八〇度転回したという意味も、いわば内容的には戦前の大陸法的な手続様式から、英米法的な手続様式に移ったことを示しているといってよいでしょう。それはあたかも、全体としての刑事手続の構造が、戦前の刑事手続においては大陸法的な職権主義——それは手続の主導的な地位を審判する裁判所に認めるとする原則——から、英米法的な当事者主義——手続の主導的な地位を検察官・被告人という両当事者に認めるとする原則——へとかわったことに照応するものといえるのです。

II　刑事訴訟手続におけるこの原則の役割

それでは、具体的にこの原則は刑事裁判全体の構造にどのような影響を及ぼしているのでしょうか。

▼「公平な裁判所」の理念をみたす

まず第一に、この原則は、憲法三七条一項で被告人に対して保障している「公平な裁判所」の裁判をうける権利をみたすことになります。もちろん旧刑事訴訟法もこの原則を忘れていたというわけではありません。裁判はすべての予断を排除し、公平になされなければならないことは当然であるからです。しかし審理手続が始まる前から裁判官が捜査手続中に集められた証拠書類、証拠物をみておれば——それによって有罪であると信じて検察官は起訴したわけですから——裁判官は被告人は有罪であるという心証をもって公判審理にのぞんだといわざるをえないでしょう。法廷ではそのような有罪の心証が誤りでないかを確かめる場所であったとすらいえるのです。どのように円熟した裁判官であっても、それが神ならぬ人間であるからには、先入観を完全になくして、有罪か無罪かの全く新たな心証をつくり出せといっても、それは不可能を強いるものであるといわねばなりません。

このようにして起訴状一本主義をとり入れることによって、憲法で定める「公平な裁判所」の理念を刑事訴訟法が制度的に強固なものに保障することになったことはあきらかです。これを別のことばで表現すれば、起訴状一本主義は、刑訴法上の原則であるのみではなく、憲法にもとづく原則であるといえるでしょうし、また被告人の立場からいえば、「無罪の推定」という大原則も、ただたんにスローガンに終わらせることなく、制度上においても、実質的にこれを保障する体制をとることになったといえるでしょう。

▼当事者主義を象徴する原則

(1)　当事者主義とは　江戸時代の奉行所における裁判にみられるように、古い時代においては裁判官が検察官を兼ねるというような特色をもつ糺問手続が行なわれていました。しかし近代国家はこのような原則を許す筈はなく、現代では文明国家であるからには、裁判官、検察官、そうして被告人という三者構造をとることになっています。これを「訴訟」構造とわたくしはいっていますが、この「訴訟」構造をとっても、裁判機関たる裁判所に訴訟における主導的な地位を認める職権主義、そうして検察官、被告人という当事者に訴訟における主導的な地位を認める当事者主義の区別があります。この区別は刑事手続の構造を考えるについての基礎的原理であるといえます。そしてこの前者を代表するのが大陸法系の国々であり、後者を代表するのが英米法系の国であることはさきにいったとおりです。そうして起訴状一本主義をとることによって、当事者主義を可能ならしめたということができます。いわば起訴状一本主義と当事者主義とは表裏の関係にあることになります。

(2)　当事者主義のあらわれ　公訴提起にさいしては検察官は起訴状に一定の事項のみを記載して、それのみを裁判所へ提出します。そうしてこのあとには、この起訴状記載の事実(訴因)の当否をめぐって訴訟が進行することになります。ここでは主張と立証とははっきりと区別されることになります。

旧法のもとでは、起訴状記載の事実はまさに実体の反映であったかも知れませんが、現行法のもとにおいては、起訴状の記載内容と証拠との関連は完全に切りはなされたものとなったわけですから、起訴状記載の事実(訴因)は、検察官の主張内容を示すものであるということになるでしょう。

裁判所は、検察官・被告人という両当事者の提出した証拠によって、訴因記載の事実があるのかないのかの心証をつくっていくことになります。検察官は捜査手続の中で収集した証拠を法廷へ提出することができますけれども、それは法の定める一定の条件を充たすものでなければ裁判官はこれをみることはできませんし、相手方当事者の批判をうけなければなりません。証人に対する尋問方法も、旧法のもとでのように、裁判長が中心となって尋問などを行なうという方式もここではとることがきわめて困難になります。実際上、証人尋問の方式が、まず尋問を申請した方が先に尋問し、それが終ってから相手方が反対尋問するという交互尋問方式をとるようになっているのもその当然の結果であるということができるでしょう。これらはまさに当事者主義をとることを意味します。

(3)　検察官の位置づけ　旧法のもとでは、捜査手続のなかで集めた証拠などはすべて公訴提起とともに裁判所へ提出済でありますから、法廷における検事の仕事は少ないといえるでしょう。そのため検事は捜査手続の主宰者としての役割が大きかったのです。しかし現行法のもとでは、――当事者主義をとったために――検察官は訴訟当事者としての役割が重要になってきました。司法警察職員を独立の捜査機関とし、そうして第一次的な捜査権限をこれに委せて、検察官は第二次的捜査機関として、捜査機関としての地位を後退させたのもこの結果です。このように検察官の地位の変更をもたらせたのも、起訴状一本主義の採用＝当事者主義の原則に対応するものでした。

▼公判手続の諸原則を生かす

刑事裁判の公判手続については、多くの原則があります。近代刑事裁判はこのようないろいろの原則のうえに成立っているといってよいでしょう。

いわゆる公判中心主義、つまり公判廷における手続を裁判手続の中心として考える原則がその基本をなしますが、これには数多くの原理が関連します。広く一般国民に審理・裁判の傍聴を許す公開主義（憲法八二条、三七条一項、裁判所法七〇条）、主張ならびに証拠たる供述は、口頭によってなされる必要があるとする口頭主義（刑訴法四三条一項）、当事者の主張、立証を経て裁判をなすべきであるとする弁論主義（刑訴法四三条一項）などがそれでありますが、起訴状一本主義はこれらの諸原則を実質的なものにするというところに格別の意味があるように思えます。このような原則をたんにことばのうえだけで強調するのではなく、これを内実化させることを可能にするのが、起訴状一本主義であるということができるでしょう。

公判期日における公判廷の手続は、旧法のように裁判官がすでに抱いている心証を確かめるということにあるのではなくして、ここでこそ起訴状記載の訴因の有無についての心証をつくり出すことになります。公判廷における手続は何よりも重要な、裁判のカナメをなす手続であるといわねばならないでしょう。このようにして、起訴状一本主義をとってこそ正しい意味での公判中心主義が可能となるのです。これが公開主義、口頭主義、弁論主義の諸原則にも結びつくことについては説明するまでもないでしょう。裁判官が自宅で、あるいは裁判官室で、一人、捜査中に集められた記録、証拠書類を読んで実際上、心証をつくってしまう手続では、実際的には公開主義もないし、口頭・弁論主義もことばのうえだけの形式的なものになってしまうことはあきらかです。

▼現行法の諸原則との関連

以上のべたことのほか、起訴状一本主義は多くの点で、現行法の基本原則と結びつきます。

(1) 証拠能力の制限　たとえば現行法のもとで非常に大きな意味をもつことになった証拠能力の制限ということを考えてみましょう。そのおもな内容は、あとの章でのべられるように、伝聞証拠には証拠能力がないとか、強制による自白が証拠能力を有しないということです。捜査中に集められた証拠書類などのなかには、このような証拠のたぐいまでがすべて含まれていますから、旧法のようなやり方でしたら、これらはすべて起訴状と一緒に裁判所へ送られます。そうして裁判官が審理を始める前にこれを読むわけですから、これによって事実上、有罪の心証をつくってしまうことになります。そうなれば折角、現行法がそれらの証拠は証拠たる資格をもたないと法律上定めていても、実際上その意味が半減してしまいます。現行法が起訴状一本主義をとり、予断排除の原則を認めたことは、このような現行法の特色でもある証拠能力の制限と密接に結びついたものであることを知ることができます。現行法では、証拠能力のない証拠は、証拠たる資格をもたないのみならず、証拠調をして裁判官がこれをみることすら許されないと考えられているのは当然であるといえるでしょう。このような起訴状一本主義をとることによって証拠能力の制限という現行法の特長を生かすことができるという相互の関連を正確に知っておくことは必要なことだと思います。

(2)　一審重点主義　このほか、起訴状一本主義は、いわゆる一審重点主義とも結びつくことは否定できません。起訴状一本主義をとることによって、公判手続、なかんづく第一審の公判手続がきわめて慎重な手続をとることを要請するようになりました。そうしてこれがひいては――あとでふれるように――控訴審をして事後審的な構造をとらせるに至ったひとつの重要な原因となっています。その意味で起訴状一本主義は、いわゆる控訴審の構造にも関連する広い問題であることを知ることができます。

(3)　証拠開示の問題　他方では、次章でのべるような証拠開示の問題が起訴状一本主義をとったことによって生じたこともいわれているとおりです。旧刑訴法の時代にはこのような問題はありませんでした。それは捜査中に集められた証拠はすべて裁判所へ提出してしまうからです。くわしいことは次章をごらん願うことにして、わたくしは、このような問題が生じたのは、現行法において証拠開示についての明文現定をおくことを立法者が忘れていたからだと考えています。証拠開示問題が現行法において生じたのは、起訴状一本主義の罪ではありません。

▼解釈原則としての起訴状一本主義

このように、起訴状一本主義は、現行刑訴法の多くの基本原理を実質化ならしめるものとして、非常に大きい役割を果していることを知ることができますが、それはまた他方では、とりわけ公判手続における諸規定を解釈するにあたって、その重要な解釈指針としても大きな意義をもつことを忘れてはならないでしょう（刑訴規則一条第一項を参照）。たとえば、とくに明文はありませんけれども、刑訴法二九一条二項でいう冒頭手続において、旧法のもとでなされていたように、起訴状一本主義に反するようなこまかい事実についての被告人の陳述は許されないと一般に考えられているのもそのあらわれであります。

▼**捜査手続と公判手続の区別**

最後に、刑事訴訟理論の考え方について、起訴状一本主義は重要な役割を果たすことを指摘しておきたいと思います。それは起訴状一本主義をとることによって、捜査手続は、公判手続とは別個、独立の目的をもった、まさに独立した手続になったということです。旧法では、起訴状とともに捜査手続において集めた証拠などをつけて裁判所へ提出したわけですから、公訴提起行為は、いわば捜査手続の主宰者である検事より公判手続の主宰者である裁判所へ事件を引継ぐということになったのと対称的です。ですから捜査手続は公判手続の準備であると考えればよかったのでした。しかし現行法のもとではそれは基本的に改めねばならないとわたくしは思っております。それでわたくしは、——多くの異論があるのにもかかわらずあえて——捜査手続とは、検察官が起訴・不起訴を決定するために、犯罪の嫌疑の有無、情状などその他公訴提起の諸条件（訴訟条件）の有無をあきらかにすることを目的として行なわれる一連の手続であると考えております。このように考えることによって、理論的に、多くの有益な結論を導き出すことができると信じていますが、詳細はここでは省略します。ただこのように考えることによって、たとえば公訴提起行為は、——事務引継行為ではなく——検察官の主張提出行為であるというその法的性格を明確に示すことができ、このあとに行なわれる公判手続では、このような検察官の主張（訴因）の事実があるかどうかをめぐって訴訟が進められることをはっきり理論づけることが可能になると思います。

いずれにしましても、起訴状一本主義は、理論的にいっても、捜査手続、公判手続のあるべき姿に大きな影響をもたらすことは否定できないと思います。

Ⅲ　起訴状一本主義の内容

そこでつぎに、起訴状一本主義によって禁じられているのはどのような行為であるかを考えてみましょう。この内容については、刑訴法二五六条六項によって明示されているところでありますけれども、その解釈にさいしては、以上のようなこの原則の役割に沿うように考えねばなりません。また起訴状を記載するためには、訴因の特定が必要であることも考慮する必要があります。

▼裁判官の予断の排除

まず第一に、起訴状一本主義によって禁ぜられているのは裁判官に事件について予断を生ぜしめるおそれのあるものであって、そうでないものはこの原則とは関係がないことに注意して下さい。しかし二五六条の趣旨から考えますと、もともと起訴状記載のために不必要なものの記載や引用、添付は、かりにそうでないとしても、削除すべきでしょう。

そこで問題は、事件について予断を生じさせるおそれがある場合とは具体的にどういうものをいうのかということです。たとえば、起訴状の「公訴事実」欄に、被告人の学歴、経歴、性格、前科、犯罪の動機などを記載してある場合どう考えるかという問題です。これについては、その記載内容のほか、起訴された犯罪の種類、態様、その他諸条件をふまえて具体的にそれが裁判官にどういう影響を与えるかを考えねばならないでしょう。ただここで注意しておきたいのは、わが国では外国のように、陪審員、参審員という素人が裁判に関与せず、職業裁判官のみが裁判をするから、少々のことでは予断を抱くことがないと考えてはならないということです。裁判官も人間です。人間としての裁判官にどのような影響を与えるかという観点から具体的に考えるべきでしょう。

▼余事記載の禁止

刑訴法二五六条六項では、書類その他の物の「添付」、その内容の「引用」のみを禁じているようにみえます。しかしこの制度の趣旨から考えますと、添付、内容の引用はもちろんのこと、そうではなくても、訴因の特定その他起訴状記載に不可欠であるもの以外のことで、裁判官に事件について予断を与えるおそれのあることの記載もすべて起訴状一本主義によって禁ぜられるというべきです。したがって被告人の前科などは、訴因の特定に必要不可欠の場合は別として、それを記載することは余事記載になると思います。またたとえば、文書による名誉毀損事件などにおいても、その名誉毀損文書内容そのままの引用は許されないのであって、訴因記載のためには、検察官は自分のことばで、自分の主張内容を起訴状に書くべきでしょう。

▼若干の問題

この余事記載に関しては、起訴状記載の訴因は検察官の主張であるから、それによって裁判所に予断を抱かせることはないという意見があります。わたくしも訴因は検察官の主張内容であると考えますが、しかし何らの根拠のない架空の事実にもとづく主張はかりに単なる主張とはいっても許されるべきではありませんし、検察官がそのような主張をするということ自体、ひとつの意味をもつことを忘れてはならないでしょう。

またかりに起訴状一本主義違反として公訴棄却しても、すぐ訂正したうえ再び起訴できるから、とか、あるいは冒頭手続のあとすぐに証拠調の手続に入り、その初めにどっちみち検察官の冒頭陣述があってここで具体的な事実が述べられるのであるから、起訴状一本主義の内容についてそんなに厳格に考える必要はないのではないかという考え方があるのは事実です。とくに刑事裁判実務ではどうしても事務的便宜という側面が強調されますから、このような考え方が強いでしょう。しかしこのような考え方は、起訴状一本主義の重要性を見失った意見であるといわねばならないと思います。

Ⅳ　起訴状一本主義の限界

このように重要な原則である起訴状一本主義の理念も、現行法上いろいろな意味での制約をうけることは免れません。それでここではこれについて少しみておきましょう。

▼犯罪と情状の立証手続の区別

そのひとつは、わが国では犯罪の成否に関する立証手続と刑の量定に関する立証手続とは二分されておらず、同一の手続のなかでこの二つの立証がなされていることを考えねばなりません。情状事実については証拠能力を有する証拠で証明する必要がないと一般に考えられております。そこでは証拠能力がないために証拠調することすらも許されない証拠すべてが、同一手続内で、情状事実立証のためということになれば証拠調が許され、裁判官はこれを読むことになります。折角の起訴状一本主義の原則もここで穴があくことになります。その意味でこの点を注意して、実務上は工夫して運用しなければなりません。

▼その他若干の場合

このほか、若干の場合が考えられます。たとえば刑訴規則一九二条でいう証拠決定をするための証拠の提示命令についても、裁判官が証拠調をするかどうかを決めるために証拠をみるわけですから、起訴状一本主義の建前からは問題があるといわねばならないでしょう。また冒頭陳述（刑訴法二九六条）や、証拠調請求のための立証趣旨の明示――証拠と証明すべき事実との関係を具体的に明示する――（刑訴規則一八九条第一項）なども、これらはいずれも必要やむをえないとはいえ、起訴状一本主義の関係ではそれには一定の限界があることを示しています。

つぎに起訴状一本主義適用外の場合があることもここで指摘しておきましょう。控訴審、上告審などにはその適用がないのは当然だといえるでしょうが、その他書面審査のみによって一定の財産刑を科する略式手続などにも、性質上この適用はありません（刑訴規則二八九条）し、上訴裁判所から差し戻され、又は移送された場合にもそうなります（刑訴規則二一七条）。あるいは公判手続を更新するときも起訴状一本主義の適用外となります（刑訴規則二一三条の二）。

V　起訴状一本主義に違反したときの訴訟法上の効果

起訴状一本主義に違反した公訴提起行為は、その重要性からみれば、その行為は無効になるといわざるをえないでしょう。したがってその場合は、裁判所は刑訴法三三八条四号を適用して公訴棄却の判決によってこの手続を打切るべきことになります。

なおひとたび起訴状一本主義に違反したからには、かりに添付したものを返還し、引用したところを訂正しても、その違法性はなくならないことを注意しておきます。この場合、検察官は、公訴提起の条件（訴訟条件）を具備するからには、再度起訴できますが、原則として前の裁判官はその事件の審理に関与できないことになるでしょう。

第五章　証拠開示

横山晃一郎

Ⅰ　検察官手持証拠の開示

検察官のもっている証拠を、被告・弁護側に見せて欲しい、いや、見せるべきだ、――という声が高くなったのは、昭和二八、九年頃からのことです。最初、公安事件、贈収賄事件、選挙関係事件の弁護人の中から起こったこの声は、昭和三〇年代から四〇年代前半にかけて増幅され、やがて弁護人だけでなく、ほとんどの第一審裁判官の声となりました。

ところで、検察官手持証拠の開示という問題――これを証拠開示問題と呼ぶ（弁護側手持証拠の開示ということも考えられるが、これは、この中に含まれていない）――は、すぐれて新刑訴的な問題です。なぜなら、旧刑訴時代には、公訴があれば、起訴状のほか、事件の証拠等一切の捜査資料が裁判所に送られましたから、被告・弁護側は、必要とあればいつでも、検察側の集めた証拠を裁判所で見ることができ、したがってこういう問題は、全く起こりようがなかったからです。現行刑訴法は、二五六条で起訴状一本主義を採用し、起訴状以外のものを公訴提起の際、添付することを禁じる一方、公判手続を裁判所の職権によってではなく、両当事者の積極的な立証活動によって進める、という立前をとりました。当事者主義という、こうした訴訟構造のもとでは、裁判所の事実認定の基礎となる証拠は、両当事者がそれぞれの立場から、自己に有利な最良の証拠（全部の証拠ではない）を法廷に提出する、というのが、形式的に考えた場合の理想です。そうなれば、検察官のもっている証拠は、検察官の自由な判断により必要なものだけ法廷に提出され、それ以外のものは、たとえあっても提出する必要はない、ということになるのです。

しかし、これは、刑事手続にのぞむ両当事者（検察官と被告人・弁護人）を、民事訴訟における原告・被告とまったく同視した場合の考えです。手続の実際、とくに公判にのぞむ検察側、被告側の準備の現実をながめれば、民事訴訟における原告・被告と、刑事訴訟における検察側・被告側との間には、次のような相違のあることを否定することはできません。それは、公判にのぞむ訴訟当事者の準備の質的相違です。もちろん、民事事件でも、原告・被告双方の力、したがって訴訟準備能力がまったく同一ということはありません。実際の民事事件においては、両者の力が大きくへだたり、訴訟が原告・被告いずれか一方の圧倒的勝利に終わる、ということもあるでしょう。しかし、法的にみれば、両当事者はまったく平等な権利の得喪を争う権利主体であり、両者に認められる訴訟法上の権利は同一です。一方当事者が、相手方の身体の自由を拘束し、その住居・所持品を捜索し、さらに、自己の実力支配下において相手方の供述を求める、といったことは、およそありえないことです。民事事件と刑事事件とでは、公判にのぞむ訴訟当事者の準備に「質的相違」がある、といったのは、このことです。事件が発生すれば、捜査機関は、そのもてる力をフルに発揮して事件の究明にあたります。その過程で、必要と考える一切の証拠は、任意処分により、あるいは強制処分（令状などにより）をつうじて、捜査機関の手に渡る――というのが普通です。そして、身柄を拘束された被疑者の防禦活動は、事件が裁判所に係属し（検察官の公訴提起により）、自らが被告人となってから始まる、というのもこれまた普通でしょう。

ところで、検察官の主張する事実が、もし、架空の事実でなく本当に歴史的な事実だとすれば、その事実が残した痕跡の集積（つまり、集められた証拠の全体）は、一つの全体を形づくり、双方提出の証拠が互いにくい違うということはないはずです。このように、もし、それが真正な証拠ならそれは相互にくい違うことはなく双方に共通のはずだ、ということは、一方当事者の証拠収集が、もし徹底的かつ完全に近い形で行われたら、他方当事者の証拠収集努力はほとんど徒労に終わる、ということです。捜査機関による徹底的な捜査、さらに、これを受けた検察官による補充、選別——という形をとる現在の刑事手続で、検察側への証拠の一方的集中、被告・弁護側手持証拠の貧困という事態が生ずるのは、むしろ当然といってよいでしょう。

Ⅱ 「新刑訴派」の法廷実践

それにもかかわらず、現行憲法は、「公平な裁判所」の理念を掲げ(それは裁判所が両当事者に対して偏よらないこと、等距離にあることを要請する)、現行刑訴法は、公判が両当事者の攻撃防御によって進められることを定めています。この憲法の理念、刑事訴訟法の構造そのものから、検察官手持証拠の開示という問題が生まれたのです。昭和三〇年代、旧態依然たる当時の裁判実務の改革をめざして、いわゆる「新刑訴派」(のちの最高裁判事岸盛一、札幌高裁長官横川敏雄らを中心とするもの)の法廷実践が始まりますが、両当事者による綿密な事前準備、公判開始後の集中審理をスローガンとしたこの運動が、検察官手持証拠の開示を求めたのは、当然でした。集中審理の普及に、大きな役割を果した座談会「岐路に立つ刑事裁判」(判例タイムス四八号以下に連載されたもの)の中で、例えば、岸盛一は、こう語っています。「当事者主義というものは事前に両当事者が充分に準備をしなければならない、これは問題ないですがね、それを被告側にやってもらうのは、やはり検察官の手持ちの捜査記録あるいは証拠物をこれは見せるのがいいと思うんです。理屈をぬきにして……。」（四九号四〇頁）

「理屈をぬきにして……」と岸が述べたのは、後で述べるように、証拠開示の要求に対し、検察側、そして岸を含めた裁判官の間に、現行刑訴法上検察官に証拠開示の義務あり、とするのは解釈上無理だという判断があったからです。しかし、この証拠開示という問題が、憲法、刑訴法の要求する当事者主義の成否に関する重大な問題であることは、当初ほとんど意識されていませんでした（学界に始めて問題を提起したのは佐伯千仭「刑事訴訟における証拠の開示」立命館法学二九・三〇合併号）。それは、一つには検察側が、ほとんどの事件で、弁護側に自分の手持証拠を開示していたからです。しかし、昭和二八、九年頃から、公安事件、贈収賄事件、選挙関係事件などで、弁護側の証拠開示の要請に応じないケースが出始め、それが公安事件審理等の烈しい争点の一つとなるようになりました。

Ⅲ　裁判所による証拠開示命令

昭和三三年大阪地裁に起訴された全逓事件（建造物侵入・公務執行妨害事件）での、証拠開示をめぐる両者の烈しい応酬、それに対する裁判所の証拠開示命令は、この問題の重要さ、法解釈上の問題点をクローズ・アップしました。そして同時に、この問題の処理をほとんど十年間凍結することになった昭和三四年の最高裁決定を引き出す契機となります。

すなわち、この事件の第一回公判期日に、弁護側が、公判審理前にあらかじめ検察官手持証拠の全部を閲覧しなければ弁護方針を立てるのが困難である、と強く証拠開示を求めたところ、検察側は、すでに証拠物の全部、および証拠として取調請求予定の証拠書類は全部弁護側に閲覧させており、それ以上取調要求の意志のないものまで閲覧させる必要はない、としてこの要求を拒否しました。検察側のこういう態度の背後に、現行刑訴法に検察官手持証拠の開示を直接義務づけた規定はない、という法認識、そして、当事者主義とは、両当事者が、それぞれの立場で集めた証拠を自由に出しあって行われるものだ、という形式的当事者主義の理解があったことはいうまでもありません。証拠開示をめぐる弁護側、検察側の烈しい応酬に裁判所は、審理を円滑にするため、検察官に対し、現在取調請求の意思はなくとも、刑訴法三二一条ないし三二八条の規定により取調請求の可能性のある書証については弁護人に閲覧させるよう勧告し、勧告に応じない検察側に遂に「直ちに本件手持証拠の全部を閲覧せしめ」よ、という命令を出しました。そして、命令に対する検察官の異議に対し、裁判所は、次のような理由を示し、この異議を却下しました。

(1)　そもそも検察官は、当事者であると同時に、他面、公益の代表として裁判所の行なう実体的真実の発見に協力する国法上ならびに刑訴法上の義務、すなわち、真実究明義務を負う。検察官に、取調請求証拠の事前閲覧を義務づけた刑訴法二九九条、刑訴規則一七八条の三は、この「検察官の『真実究明義務』に根底を置くもので、検察官手持証拠の内、その如何なる種類、如何なる程度の証拠が、公判における現実具体的証拠として請求されるかを予め弁護側にも知悉せしめ、弁護側をしてそれに応ずる万全の準備を整えしめるための規定である。」したがって、「この規定があるからといって又この規定があるために、検察官には右規定以上に弁護側に対し証拠の事前閲覧請求に応ずる義務がないということはでき」ない。さらにまた、刑訴法三二一条第一項第二号後段の要件にあてはまる検察官面前調書は、必ずその取調べを請求しなければならない、とする刑訴法三〇〇条の規定も、このような検察官の真実究明義務を前提としてはじめて客観性をもつのである。

(2)　刑訴法における当事者主義は、形式的当事者対等主義ではなく、実質的対等主義である。弁護側に、検察官手持証拠の開示を認めることは、実質的当事者対等主義の実現、両当事者の力の不均衡是正に役立つ。

(3)　証拠の開示が、証拠湮滅その他の不都合を惹き起こすおそれはあっても、それに対しては刑訴法の勾留、刑法の証人威迫、証拠湮滅の諸規定を活用すれば、十分対処することもできる。

(4) 検察官には訴訟促進に協力する義務もあるが、事前の証拠開示は、訴訟促進に役立つ継続審理、集中審理を可能にする。

VI 最高裁による証拠開示命令の取消し

これに対し、検察官は、ただちに最高裁に特別抗告しました。最高裁は、検察官のこの命令は不当であるという主張をいれて、異議棄却決定を取り消すとともに、大阪地裁の、検察官手持証拠全部の弁護人への開示命令を取り消しました。最高裁が取消しの理由としたのは、およそ次のようなものです。なるほど、検察官に真実究明義務、集中迅速審理に協力する義務のあることは間違いない。しかし、裁判所、検察官の真実発見は、訴訟法規の軌道に乗って行われなければならない。問題は、現行刑訴法に、一体、検察官に手持証拠全部の事前開示を義務づけた法規、または裁判所に開示を命じうることを定めた法規があるかどうか、にかかる。刑訴法二九九条、刑訴規則一七八条の三という規定はあるが、それは、「当事者が特定の証拠書類等の取調を請求する場合のみに関する規定」であり、また刑訴法三〇〇条で検察官に検面調書取調請求義務が発生するのは、「供述者が公判又はその準備期日に右供述調書と相反するかもしくは実質的に異なった口頭の供述をした後であって」、事前にではない。さらに、「その他の刑事訴訟法規をみても、検察官が所持の証拠書類又は証拠物につき公判において取調を請求すると否とに拘わりなく予めこれを被告人もしくは弁護人に閲覧させるべきことを裁判所が検察官に命ずることを是認する規定は存しない」（最決昭和三四・一二・二六刑集一三巻一三号三三七二頁。「　」内は同刑集よりの引用）。

V　不完全な捜査、弱点のある証拠による検察官の訴訟追行

最高裁の、刑訴法に対するきわめて形式的な法解釈によって、証拠開示への道は、一たん断たれました（なお、この決定と同時期にでた昭和三五・二・九の最高裁決定参照。判タ一〇九号三四頁、横山『憲法と刑事訴訟法の交錯』一九四頁以下）。ところで、この決定で救われ、支えられたのは、一体、何だったでしょうか――前記の座談会は、それを次のように示しています。

「岸　さっきからの議論によりますと現在の捜査手続は二十日の期間で制約され充分捜査できないから捜査記録を相手方に全部見せると弱点をつかれて先に行ってくずれる虞れがあるとか、また相手方にいろいろ作為される懸念があるというお話がでましたが、検察官の公益の代表者としての立場になったらば、そのようなことは、記録を相手方にみせないとい

うことの決定的な根拠にはならないと思いますが……。

千葉　それでは不充分と思いますね。

岸　いいんじゃないですか、そのため無罪になっても。捜査手続が制約をうけるために証拠が十分でなければ無罪になるのは当然でしょう。

井口　そこまで割切っていただきたい。

武田　そこまで割切ってしまえば問題ないと思うんですよ。しかし私共の正義感はそういうものが無罪になることは絶対に承服できないんですよ。」（判タ四九号四〇頁、「武田」は検事、「岸」・「千葉」（和郎）・「井口」は、いずれも「新刑訴派」の判事——傍点は筆者）

不完全な捜査、弱点のある証拠、その上に立った検察官の訴訟追行——昭和三四年、三五年の最高裁決定は、少くとも客観的には、それを支え、是認する役割を果したのです。しかし、最高裁の決定がでたからといって、証拠開示の問題が問題でなくなったわけではもちろんありません。それどころか、最高裁の証拠開示に示した態度は、下級裁の裁判官を一層困難な立場に追い込むことになりました。なぜなら、検察側への証拠の一方的集中（たとえそれが不充分なものであっても）という事態そのものに変化はなく、逆に、集中審理の規則化、法制化によって弁護側の公判準備のための証拠閲覧の必要性は高まり、さらに、松川事件における検察側の被告に有利な証拠の不開示（「諏訪メモ」など）、最高裁による証拠提出命令、無罪判決という事態の推移は、証拠開示の重要性、必要性を被告・弁護側に強く意識させ、それまで以上、証拠開示問題が法廷の争点となっていったからです。こうして最高裁決定の変更を求める試みが、実務家、学者の間で始まります。

Ⅵ　最高裁決定の変更を求める動き

一つは、弁護士会を中心とした全面開示論、いま一つは、裁判所の主体的判断により個別的に証拠開示を実現しようという部分的・職権的開示論、そしてその間をぬって展開された刑訴法二九九条、三〇〇条の柔らかな解釈による現実的運用開示論――がそれでした。例えば、昭和四二年一一月九日札幌地裁岩見沢支部が出した、刑訴法三〇〇条を理由とする主尋問終了後反対尋問前の検面調書提示命令（そしてこれに対する検察官の異議申立を棄却した決定）は、この第三の立場のものといえよう。そこで、裁判所は、この提示命令は、決して「証拠調と全く無関係に弁護人らに本件調書の閲覧請求権が存すること、また検察官にこの開示義務が存在することを認めたものではな」い、と前記最高裁決定との抵触を避けつつ、この提示命令の必要性を次のように理由づけました。

証人の検面調書が、法廷の証言より被告人に不利なら、検察官は恐らく調書の取調を請求するであろう。しかし、「被告人に有利と思われる調書は、公訴維持の上から無用のものとするか、若しくは三〇〇条の要件の存在を看過して検察官の手もとに留保され、証拠として公判廷に顕われないおそれがないとはいえない。法三〇〇条はまさにこのような被告人にとって有利な調書を公判廷に顕出せしめる機会を確保することが、被告人の利益保護と実体的真実の発見という刑事訴訟の理念に合致するものとしてとくに明文をもって、検察官にその取調請求の義務を課したものと解される。」ところで、このような場合、右検面調書が、刑訴法三二一条一項、二号後段に該当する書面かどうかの判断をまったく検察官に委ね、「弁護人側や裁判所がつんぼ桟敷におかれたまま、検察官が法三〇〇条に該当しないと判断（主張）すればもはやこれを法廷に顕出する途がないものとはとうてい考えられない。……このような場合にこそ訴訟の主宰者たる裁判所は被告人に有利と思われる調書の法三〇〇条の要件該当性を進んで判断し、職権をもってこれを法廷に顕出すべき職責を有する」（判時五〇八号三四頁）。

VII　裁判所による個別的証拠提出命令

関係法規のないことは、決して、その点に関する裁判所の無権限を意味しない、訴訟の管理者・主宰者である裁判所は、訴訟の合目的的進行に必要と判断した場合、個別的に証拠の提出を命じることができる――こういう考え方は、学者の理論（例えば、平場安治・検察官手持証拠の開示・ジュリスト二四〇号）によって裏づけられ、一線裁判官の中に拡がりました。そして、次のような大阪地裁決定、そしてこれを誘因とした昭和四四年四月二五日の新たな最高裁決定を生んだのです。すなわち、大阪地裁は、公務執行妨害事件の審理で、弁護側の、事件当時現場にいた四人の証人尋問調書開示要求を認め、検察官に証人尋問調書の開示を命ずるとともに、この問題に関する見解を以下のように表明しました。

「一　裁判所は、訴訟を主宰する地位にあるものとして、訴訟を迅速かつ十分にし、法の理想を実現すべき職責を有し、右職責遂行のための固有の包括的権限として訴訟指揮権をもっているが、この訴訟指揮権は、その性質上、広い裁量の余地が認められなければならないものであって、訴訟指揮に要請される合目的性と法的安定性との調和を考慮するときは、明文の規定がなくとも、他の明文の規定にてい触せず、法の目的に適合し、全体的法秩序を害さない限り訴訟指揮をなすことができると解するのが相当である。

二　証拠開示については、現行刑事訴訟法上、同法二九九条以外に明文の規定はないが、右事実から直ちに同法が右条文以外の証拠開示を一切認めない趣旨であるとは断定できない。すなわち、右条文以外の証拠開示が違法となる趣旨でないことは、従来一般事件の殆んどにおいて公判前に全部の証拠閲覧がなされてきた慣行に徴しても明らかである。また、現行刑事訴訟法は、憲法三一条ないし三九条の規定をうけて、当事者主義、防御権の強化を図っているが、その防御権の保障は十分でなく、当事者の攻撃防御力は不平等である。形式的当事者主義による弊害の除去をはかり、当事者の攻撃防御力の不平等をこれ以上そこなわず、被告人側の防御力を実質的に補強せしめることこそ、最も肝要であるが、証拠開示は、被告人側の防御力を実質的に補強する有力な一手段であるから現行刑事訴訟法が同法二九九条以外に証拠開示についての規定を設けてはいないが、検察官に右条文以外の証拠開示義務を絶対的に負わせてはならないとの趣旨まで含んでいないことは明らかである。

三　そうだとすると、現行刑事訴訟法上証拠開示命令をなしうるとの明文の規定はないが、裁判所は、訴訟の具体的状況にてらし、開示証拠の形式・内容、開示の時期、開示により予想されうる被告人弁護人の利益と検察官の公訴維持上もしくは国の機密上被る不利益とを比較して、必要かつ妥当と認められる場合、訴訟指揮権に基き、検察官に対し、証拠開示を命じうる余地があり、その命令により検察官は開示義務を負担する。」

この命令に対し、検察官は直ちに異議を申し立て、却下されると今度は最高裁に、判例（前出最高裁二決定）違反、法令違反（訴訟指揮権にもとづき、明文の規定はなくても検察官に証拠開示命令を出しうるとするのは違法）を理由に、特別抗告を申し立てました。最高裁第二小法廷は、この特別抗告を棄却し、判例違反の主張に対しては、次のように、その理由なし、と判示しました。すなわち、昭和三四年一二月二六日の決定は、「いまだ冒頭手続にも入らない段階において、検察官に対し、その手持証拠全部を相手方に閲覧させるよう命じた事案に関するものであり」、また昭和三五年二月九日の決定は、「裁判所が、検察官に対し、相手方に証拠を閲覧させるべき旨の命令を発しなかった事案において、検察官にはあらかじめ進んで相手方に証拠を閲覧させる義務がなく、弁護人にもその閲覧請求権がないことを判示したものであるから、証拠調の段階において、特定の証人尋問調書につき、裁判所が、訴訟指揮権に基づいて、検察官に対し、これを弁護人に閲覧させることを命じた事案に関する本件とは、いずれも事案を異にし、適切な判例とはいえ」ない（傍点は筆者）。また、法令違反の主張については、適法な抗告理由にあたらず、としたうえ、カッコ内ですが、原裁判所の見解に対する第二小法廷の考えを次のように示しました。

「『裁判所は、その訴訟上の地位にかんがみ、法規の明文ないし訴訟の基本構造に違背しないかぎり、適切な裁量により公正な訴訟指揮を行ない、訴訟の合目的的進行をはかるべき権限と職責を有するものであるから、本件のように証拠調の段階に入った後、弁護人から、具体的必要性を示して、一定の証拠を弁護人に閲覧させるよう検察官に命ぜられたい旨の申出がなされた場合、事案の性質、審理の状況、閲覧を求める証拠の種類および内容、閲覧の時期、程度および方法、その他諸般の事情を勘案し、その閲覧が被告人の防禦のため特に重要であり、かつこれにより罪証隠滅、証人威迫等の弊害を招来するおそれがなく、相当と認めるときは、その訴訟指揮権に基づき、検察官に対し、その所持する証拠を弁護人に閲覧させるよう命ずることができるものと解すべきである。』そうして、本件の具体的事情のもとで、右と同趣旨の見解を前提とし、所論証人尋問調書閲覧に関する命令を維持した原裁判所の判断は、検察官においてこれに従わないときはただちに公訴棄却の措置をとることができるとするかのごとき点を除き、是認することができる」（刑集二三巻四号二五〇頁『　』は筆者）。

Ⅷ　全面開示への方向

昭和三四、三五年最高裁によって完全に閉ざされた証拠開示への道は、こうして再び開かれることになりました。しかし、この決定によって、証拠開示「問題」のすべてが解決されたわけではもちろんありません。事件発生、捜査開始、犯人追及の過程で、任意処分、あるいは強制処分により、捜査機関の手続に渡った沢山の関係証拠（関係があるかどうか不明の物も押収されるのが通常）は、一部の証人尋問調書をのぞき、依然として不開示のままにとどまるからです。そしてその限りで、弁護人の弁護権行使は、事実上制約され、被告人が不充分な証拠で有罪とされる危険性、裁判所による誤判の可能性は、依然として存在するといってよいでしょう。無辜の不処罰という理念（消極的実体的真実主義）からしても、昭和四四年の最高裁決定の解決案は、決して十分ではないのです。さらに、注意しなければならないのは、憲法、刑事訴訟法が、刑訴法の基本的原則として掲げた公平な裁判所の裁判、当事者主義の理念です。捜査において、捜査機関に広汎な強制処分請求の権限を与え、市民に捜査への協力を要請し、市民も又、これに応じるのは、刑法が市民の自由・安全を保障するものである限り、当然のこととといえましょう。しかし、捜査機関の活動を、当事者主義という訴訟構造の観点から把えなおせば、それは、明らかに原告側の公判準備活動です。つまり、現行刑訴は、公判における一方の当事者に、市民の自由、安全の確保、不安の除去という利益のために、他方当事者（被告）にはない権限と利益を、その公判準備活動に与えたのです。

なるほど、一方当事者である検察側の手にある証拠のすべてが、強制処分の結果えられたものではありません。しかし、捜査機関の求めにより関係者から「任意に」提出された証拠（物的証拠だけでなく供述を含む）でさえ、完全に任意といい切れないことは、被告・弁護側が同じ関係者に同じ言葉で提出を求めたとしても、ほとんど同じ証拠はえられないことからも明らかです。検察側の手にある証拠は、その意味で、被告・弁護側と同じ当事者的地位にもとづいて取得した証拠ではなく、安全維持の観点から収集を許された、ニュートラルな（当事者的な取扱い(を許さないという意味で)証拠なのです。もちろん、それは、当事者的地位にもとづかず集めた証拠を、検察側の目で評価し、取捨選択し、一定の主張に構成することを否定するのではありません。ただ、これらの証拠を、当事者としての立場で恣意的に取扱う(ある事件証拠は全部開示するが、他の事件のものは開示しない、というように)ことは、憲法、刑訴法の予定する基本原理＝当事者主義に反する、というのです。

検察官手持証拠の全面開示は、この意味で、無辜の不処罰、被告人のための「迅速な裁判」の実現という要請にもとづくだけでなく、当事者主義の理念そのものにもとづく、といわなければならないでしょう。

第六章　審判の対象

鈴木茂嗣

Ⅰ 序説

▼はじめに

公訴の提起は起訴状の提出によって行うものとされています（二五六条一項）。起訴状には、①被告人の氏名その他被告人を特定するに足りる事項、②公訴事実、③罪名を、それぞれ示すことが要求されていますが（二五六条二項）、このうち、公訴事実については、「訴因を明示してこれを記載しなければならない」とされ、その「訴因を明示するには、できる限り日時、場所及び方法を以て罪となるべき事実を特定してこれをしなければならない」とされています（二五六条三項）。そこで、「公訴事実」あるいは「訴因」とはいったい何か、また両者はどのような関係にあるかが問題とされることになります。

▼旧刑訴の下での考え方

この問題を考える前に、まず旧刑訴法の下ではどうであったかをみておきましょう。そこでも、公訴の提起は原則として書面で行われました。そして、公訴を提起するには、現行法と同様、被告人および犯罪事実を特定し、罪名を示すことが要求されていました。したがって、起訴状の記載自体は、旧法でも現行法でも基本的な差異はないのです。問題は、有罪判決をする際に、この起訴状記載の犯罪事実にどのていど拘束されるかです。たとえば、「被告人は、昭和五四年一月一日午前一〇時頃、某所においてA所有のダイヤモンド指輪一個を窃取した」との窃盗の事実が起訴状に記載されていたのにかかわらず、証拠調の結果、実はこれが欺罔による騙取であることが判明した場合に、詐欺として有罪としてもよいか、という問題です。旧刑訴時代には、このような認定も適法なものとして認められていました。すなわち、公訴の提起された具体的な犯罪事実と「公訴事実同一」の関係にある犯罪事実である限り、起訴事実とずれた認定をすることは、何ら差し支えないとされていたわけです。もちろん、ここにいう「公訴事実」の「同一性」とは何かについては争いがありましたが、右のような例が同一性の範囲内にあることは、全く異論のないところでした。かくして、旧刑訴の下では、「公訴事実」が審判の対象だといわれていたのです。

しかし、このような制度の下では、被告人に不意打を与えるおそれがあることは否定できません。右の事例でも、もし詐欺だとされるなら、何らだます意思はなかったことを立証できたかも知れませんし、用いた手段は何ら他人を錯誤に陥れるような性質のものではなかったこと、あるいは相手は錯誤に陥って指輪を交付したものではないことを立証できたかも知れません。どのような認定がなされるかを予め明確に示し、これにつき十分争わせるということは、被告人の防禦権の保障という点では、基本的な事柄といえるでしょう。

Ⅱ　公訴事実対象説と訴因対象説

▼訴因制度の意義

現行法では、訴因制度が導入されました。裁判所の認定は、検察官の主張した犯罪事実、すなわち訴因に拘束されるのであり、これと異なる認定をするためには、訴因を変更しなければならないことになったのです（三一二条）。これによって、被告人に対する不意打のおそれは除去することができます。ただ、この訴因による事実認定の拘束を、理論上どのように位置づけるかについては、意見が分かれました。旧刑訴時代の考え方を基本的に維持しながら理解しようとする人達は、こういいます。現行法の下でも、審判の対象はあくまで公訴事実である。ただ、被告人に対する不意打を防止するために、予め認定される可能性のある犯罪事実を被告人側に手続明上示しておくのが訴因制度である、と。このような考え方を、審判対象に関する「公訴事実対象説」といいます。これに対しては、訴因は検察官の主張であって、この主張の当否を判断するのが公判手続の目的だとする考え方が、有力に主張されました。これは、訴因自体を審判の対象だとする考え方で、一般に「訴因対象説」と呼ばれています。これ以外にも、訴因は現実的な審判の対象であり、公訴事実は潜在的な審判の対象であるとする有力な見解（普通「折衷説」と呼ばれます）もあります。これを訴因対象説に近い考えだとみる人もいますが、その基本的な考え方は、むしろ公訴事実対象説に近いといってよいと思われます。

旧刑訴時代は、裁判所がすべての面において刑法実現の最終責任者であり、公訴事実同一の範囲内で、あくまで実体的真実を追求し、刑法の実現をはかるべき任務を裁判所は負っていると考えられていました。そうなると、必然的に、職権主義的な訴訟追行のあり方が要求されてくるといえましょう。これに対して、現行法下の裁判所は、むしろ国家の刑罰権力の行使に対して、人権保障という側面から抑制機能を発揮すべき機関として第一次的に位置づけられるに至ったといってよいと思われます。犯人処罰の要請をみたすという側面での最終責任は、むしろ行政機関として位置づけられるようになった検察官に委ねられているとみるべきです。犯人処罰の要請とは、いいかえれば法秩序維持の要請であり、このような積極的な国家目的の実現は、むしろ行政作用と相通ずる性質をもつものといえます。裁判所の地位をこのようなものと解するなら、公判手続の基本構造も、検察官の主張を裁判所が吟味するという構造をもつものとして考えていくのが妥当だといえましょう。いわゆる訴因対象説が、現行法の基本構造にふさわしい考え方だということができます。

▼公訴事実対象説と訴因対象説

それでは、公訴事実対象説と訴因対象説とでは、刑訴法の解釈上、具体的にどのような差異を生じるのでしょうか。一般に、この対立は、(イ)訴因変更の要否、(ロ)訴因変更命令の効力いかん、(ハ)訴因変更命令義務の存否、(ニ)訴因逸脱認定をいかなる控訴理由とみるか等の点において差異を生じるとされています。

まず、(イ)の点について考えてみましょう。公訴事実対象説は、訴因を専ら被告人に対する不意打防止のための手続的制約とみますから、訴訟の具体的展開に照らして訴因逸脱認定が被告人に対する不意打とはならないと判断されれば、訴因変更なしにその事実を認めてよいということになるでしょう。たとえば、窃盗で起訴された被告人が、単なる贓物（ぞうぶつ）収受だとしてこれを争い、この点について当事者の攻撃防禦がなされたような場合が、これにあたります。これに対して、訴因対象説では、訴因は不意打防止のための制度というに尽きず、審判の対象でもありますから、その同一性という観点から、具体的な訴訟の進行とは一応独立に、その社会的意味をも考慮して変更の要否が定められるということになります。右の事例の場合、窃盗と賍物収受とは、犯罪事実としては全く別個のものですから、当然訴因変更がなされねばなりません。

次に、訴因変更命令の効力についても、公訴事実対象説からは、事実認定の主体である裁判所が訴因変更を命じた以上、当然その訴因に変更されると解するのに理論上何の妨げもないといってよいでしょう。また、裁判所は、認定事実に合わせて訴因を変更し被告人に不意打を与えないように配慮する一般的義務を負うということにもなります。しかし、訴因対象説に立つと、審判対象を提示するのは訴追者の役割ですから（不告不理の原則）、検察官が変更しない限り、訴因は変らないと解すべきことになります。訴因変更命令は、勧告的効力か、せいぜい命令的効力を有するにすぎないとされることになります。また、原則として裁判所には、訴因変更を命ずべき義務はないとされることになるでしょう。もっとも、訴因対象説に立つ見解も、犯罪が重大であり訴因変更を命じてでも処罰しないと著しく不正義だと考えられる場合には、例外的に訴因変更命令義務を認め、この義務をはたさずにもとの訴因につき無罪とすると、訴訟手続の法令違反（審理不尽）になるとするのが一般です。しかし、私はこの点の判断の終局的責任は、むしろ検察官に委ねるべきで、裁判所には訴因変更を勧告する義務程度を認めるにとどめるべきではないかと考えています。命令義務まで認めることは、権力抑制機関としての裁判所の性格を曖昧にしてしまうおそれがあるからです。最後に、訴因逸脱認定と控訴理由の関係ですが、刑訴法は、いわゆる絶対的控訴理由として「審判の請求を受けない事件について判決をしたこと」をあげています（三七八条三号後段）。訴因対象説をとれば、訴因逸脱認定はまさにこれにあたるということになるでしょうが、公訴事実対象説からは、審判の請求は公訴事実についてなされるものですから、公訴事実の同一性を逸脱しない限り、訴因外の事実を認定してもこれにはあたらず、いわゆる相対的控訴理由のひとつである三七九条の訴訟手続の法令違反として扱われ、明らかに判決に影響を及ぼす場合にのみ控訴理由となるとされることになるでしょう。

Ⅲ　公訴事実の同一性

▼公訴事実の同一性と単一性

審判の対象である訴因は、公訴事実の同一性を害しない限度において変更することができます（三一二条一項）。一般に、この同一性は、さらに狭義の同一性と単一性とに分析して論じられています。そして、前者は、訴訟の発展に従って公訴犯罪事実が変化した場合にも、なお前後同一といえるかという、公訴事実の「ずれ」の問題であり、後者は、一個の公訴事実といえるかという、公訴事実の「はば」の問題だと理解されています。窃盗だと思っていたのが詐欺だと判明したというような場合に訴因変更ができるかというのは同一性の問題ですし、単なる窃盗ではなく住居侵入を伴う窃盗だと判明したときに住居侵入と窃盗とは一体的に処理されるべきかどうかというのが単一性の問題です。

このように、単一性すなわち「はば」を問題にするときの「公訴事実」とは、明らかに具体的に問題とされている犯罪事実のことだといってよいでしょう。しかし、「同一性」が問題となる公訴事実を具体的な公訴犯罪事実だと解すると、どうもうまく説明できなくなります。すなわち、犯罪事実は窃盗から詐欺に変化したことは明らかであるのにかかわらず、なお、この場合に「同一性」を問題にせざるをえないからです。そこで、公訴事実とは、訴因の指向対象であるなどと説明されることもあります。しかし、指向対象とは何でしょうか。それは、実際に存在するものなのでしょうか。いったい、いわゆる実体的真実というのと、どこが違うのでしょうか。どうもはっきりしません。そこで、もはや公訴事実を何らかの実質的概念と捉えるのではなく、単に形式的に、訴因変更の限界を画するためにたてられている機能的概念にすぎないと割り切る考え方も有力に説えられます。この考え方によれば、そもそも「公訴事実」とは何かといったことを論じること自体が、無意味であるということになります。重要なのは、「公訴事実」そのものではなく、むしろ訴因変更の限界を画するものとしての「公訴事実の同一性」の概念なのだというわけです。しかし、これでは、訴因変更の限界を画する基準がどこから出てくるかが明確でなく、結局、訴訟上の便宜で決められてしまうことになりかねません。

▼公訴事実の同一性とは何か

私は、この問題は、全体としての刑事手続がはたすべき社会的機能は何かという観点から、根本的に考え直してみるべき問題だと思っています。そもそも刑事制度は、一定の法益侵害をめぐって生じる混乱ないし利害対立を、犯人の処罰という方法によって調整し、広い意味での紛争の解決をなすとともに社会秩序を維持するところに、その主要目的があるといってよいでしょう。したがって、刑事訴訟を通じて解決さるべき社会的課題も、問題とされている法益侵害の同一性が維持されている限り、同一であるといってよいと思われます。狭義の同一性とは、このような解決課題の同一性、具体的にいえば問題とされている法益侵害の同一性を意味すると解するのが最も妥当だと思われます。刑法理論の上で、犯罪行為の違法性を結果無価値に重点をおいて捉えるか、それとも行為無価値に重点をおいて捉えるかの対立がありますが、右のような考え方は、結果無価値説的見地と相通ずるものだといってもよいでしょう。

▼公訴事実の同一性の判断基準

公訴事実の同一性の判断基準をめぐって、従来、判例は、基本的事実関係の共通性を基準とする基本的事実同一説をとるといわれ、学説上は、さらにこれに罪質の点で絞りをかけようとする罪質同一説（小野清一郎）、行為態様や指導形象としての構成要件の類似性に着目する指導形象類似説（高田卓爾）、構成要件へのあてはまりの程度を問題とする構成要件共通説（団藤重光）、両立しえない訴因の間での行為または結果の共通性を問題とする訴因共通説（平野龍一）、社会的関心の同一性に着目する社会的嫌疑同一説（平場安治）など、様々の見解が対立してきましたが、いずれも、なぜそのような基準が妥当なのかについて十分説得力ある論拠を示しえなかったように思います。そして、判例の基本的事実同一説に対しては、その基準が曖昧だとの批判がむけられてきました。しかし、私のみるところ、少くとも最高裁判所の判例に関する限り、そこにいわゆる「基本的事実」とは、結局のところ「法益侵害」のことだといってよいと思われます。たとえば、判例は、はじめ財物の不法領得罪である点で共通だとして詐欺と贓物収受の間に同一性を認めていましたが、その後それにとどまらず、ある財物の不法領得に被告人が関与したその行為であるという点に着眼して、窃盗と贓物運搬との間にも同一性を認め、また詐欺の単独犯と共同正犯、窃盗の共同正犯と幇助犯などの間にも同一性を認めるに至っています。そこには、一定の法益侵害を基礎として、それへの犯罪的関与形態の差が問題となっているにすぎないときは同一性を肯定するとの基本的態度がうかがわれるといってよいでしょう。

さて、右のように理解すると、なぜ公訴事実同一の犯罪事実につき別訴が許されず、訴因変更によって処理しなければならないかという理由も、おのずと明らかになるといえましょう。同一の課題について、二重に訴訟手続を行うことは、無駄でもありますし、それどころか矛盾した解決が示される危険すらあります。課題解決のために示され主張された、いわば検察官の模範解答としての訴因が誤っていたというのであれば、これを当該訴訟の中で変更させれば足りるのであり、またそうさせるのが妥当なのです。次に公訴事実の単一性の基準に目を移してみましょう。

▼公訴事実の単一性

公訴事実の単一性は、いわゆる罪数論によって決定されるというのが通説です。すなわち、いわゆる本来的一罪はもちろん、観念的競合や牽連犯といった科刑上一罪の関係にある事実も、単一の公訴事実として扱われます。したがって、その一部が起訴されているときに、他の部分を別個に起訴することは許されず、当該訴訟中で訴因を追加するという方法で主張するほかありませんし、また、終局判決でもこれらは一体として扱われ、その一部のみが有罪の場合にも、これを基礎に一個の有罪判決がなされるだけで、他の部分につき別に無罪判決をするわけではありません。この点の実定法的根拠は、刑法典の併合罪に関する規定と科刑上一罪に関する規定の違いに求めることができます。すなわち、刑法は、併合罪については、五〇条や五一条など数個の裁判をなしうることを前提とした規定をおいていますが、科刑上一罪（五四条）については、かかる規定をおいていません。これは、科刑上一罪は、裁判上一体的に扱うという態度のあらわれとみることができましょう。

Ⅳ　一事不再理効

▼はじめに

以上の分析を前提として、次に実体裁判の一事不再理効について考えてみましょう。たとえば、窃盗罪で起訴され無罪となったとします。この場合、実は詐欺だったとして再び当該被告人を起訴することは許されません。また、窃盗の有罪判決のあった後、実は住居侵入の上での窃盗だったということで、住居侵入の事実について改めて起訴することも許されません。すなわち、実体裁判があった場合には、公訴事実同一単一の全範囲で一事不再理効が生じるというのが通説です。

この効力は、なぜ生じるのでしょうか。古くは、事件の終局処理によって公訴権が消耗するのだと説明されていましたが、次第に、実体的な法律関係が裁判によって確定された以上、これと矛盾する裁判は許されないという理由づけが強調されるようになりました。これを理論的に説明すると、一事不再理効は、実体裁判の内容的確定力の外部的効果だということになります。そして、旧法当時は、公訴事実対象説が通説でしたから、その効力は、同時審判の可能性のある範囲、すなわち公訴事実同一単一の全範囲に及ぶのだと説明されたわけです。

▼二重の危険と一事不再理効

しかし、訴因制度を採用し、裁判所の審判が法的に訴因に限定されざるをえなくなった現行法の下では、同時審判の可能性を理由に右の帰結を根拠づけることは困難になりました。また、憲法三九条は、「同一の犯罪について、重ねて刑事上の責任を問われない」としていますが、この背後には英米の「二重の危険」禁止の発想があるとの認識も次第に深くなってきました。その結果、一事不再理効は、裁判の実体的確定力の効果ではなく、むしろ形式的確定力の効果（井上正治）だとされたり、実体裁判の存在的効力（平野）だと主張されるようになったわけです。公訴事実同一単一の全範囲に一事不再理効が及ぶことも、裁判所による同時審判の可能性ではなく、むしろ検察官の同時訴追義務に求められることになります。そして、最近では、さらに進んで、もはや裁判の効力というよりは、端的に公訴事実同一単一の全範囲で被告人が訴訟的負担や有罪判決の危険を負ったという事実そのものから、直接に一事不再理効を導びく見解が有力に唱えられるに至っています。

私も、一事不再理効を支えるものは、刑事手続に伴う被告人の種々の負担を最少限度にとどめ、被告人をいつまでも不安定な地位に置いておくことを避けるという人権擁護の思想、すなわち二重の危険禁止という発想であると考えます。矛盾判決を避け、裁判の権威を守るということが目的なのではありません。憲法三九条が、一事不再理を国民の「基本的人権」として規定しているのは、まさにこのことを示しているといってよいでしょう。もちろん、この場合にも、犯人必罰という国家的社会的要請とのバランスを考慮する必要があります。いわゆる門前払いの裁判がなされた場合に、再び訴追する余地を認めることは、やむをえないところです。アメリカなどでも実体審理に入った後に手続が打切られたからといって、直ちに一事不再理効が生じるとは考えられていません。しかし、少なくとも、裁判所によって真正面から公訴に対する回答が出された以上、訴追側としては、さらに被告人に負担をかけ彼を有罪に追いこむということは避けるべきでしょう。要するに、公訴に対して刑罰権の存否を真正面から判断する終局裁判がなされたときには、公訴事実同一単一の全範囲で一事不再理効が発生すると解するのが、最もバランスのとれた考え方のように思われます。

▼事件の終局性と一事不再理効

これに対して、「一事不再理を事件の終局性という概念にまで抽象化し稀釈してしまったのでは、もうすこしなまなましい実質をもつところの二重の危険の意義を没却すること」になるとして、実体審理に伴う負担に着目し、訴因変更の可能性を根拠として一事不再理効が公訴事実同一単一の全範囲に及ぶことを説明しようとする立場も有力です（田宮裕）。しかし、実体審理の具体的負担を問題にするのであれば、その程度は事件により千差万別であるといわざるをえないでしょうし、訴因変更の可能性を前提としなければ検察官の同時訴追義務を根拠づけえないわけでもありません。そもそも起訴する時点において、公訴事実同一単一の全範囲で同時訴追義務を有していると解することも十分可能なのです。むしろ、手続に伴う被告人の負担に着目しつつも、個々の手続の個性を抽象化一般化し、実体裁判確定に伴う効力としてこれを論じるところに、むしろ法的安定性が生まれ、一事不再理論の真価も発揮されることになるのではないかと思われます。とくに具体的個別的に著しく過大な負担を被告人に負わせたというような場合には、迅速な裁判違反の場合などと同様に、それ自体を処罰の相当性の観点から問題とし、一事不再理効とは別個に、処罰不相当として免訴判決等で処理すれば足りるといえましょう。

Ⅴ　厳格な証明

▼量刑事情と厳格な証明

審判対象である訴因事実については、適式な証拠調を経た証拠能力のある証拠による「厳格な証明」が要求されます。法三一七条が「事実の認定は、証拠による」としているのは、このことを意味しますが、そこに「事実」というのは、厳格な意味での犯罪事実に限らず、より広く刑罰権を基礎づけるに重要な類型的事実の意味に理解する方が妥当だと思われます。したがって、累犯加重（刑法五七条、五九条）の根拠となる累犯事実などについても、厳格な証明を要求すべきでしょう。これに対して、単なる量刑事情については、あまり厳格に考えると十分な量刑資料を収集しえないおそれがありますが、公判廷で被告人に十分これを争う機会を与えることは最低限必要でしょう。この点について、簡易公判手続の場合と同様な証明方式（いわゆる「適正な証明」）を要求し、たとえば、伝聞証拠について積極的に異議のあるときは、これを原則として証拠としえないと解する見解も有力ですし、さらに徹底して厳格な証明によるべきだとする見解もあります。

もし量刑事情について厳格な証明を要しないとするのであれば、情状についての証拠によって実質上犯罪事実が認定されてしまうことのないよう、罪責の認定段階と量刑の段階とを手続的に区別し、厳格な証明により被告人の有罪が認定された後に量刑事情の取調に移る手続二分の方向が望ましいと考えられます。現行法では、この二つの段階を手続上明確に区別するという建前はとられていませんが、証拠調の順序は実際上右のような形になることが多いと思われますし、また運用の問題としてもできるかぎりそのような形にもっていくのが望ましいと考えられます。

▼余罪の証明

ところで、実務上、情状のひとつとして余罪の立証が問題となることがあります。この場合の余罪とは、公訴提起のあった犯罪以外の犯罪という意味ですが、判例によれば、「起訴された犯罪事実のほかに、起訴されていない犯罪事実をいわゆる余罪として認定し、実質上これを処罰する趣旨で量刑の資料に考慮し、これがため被告人を重く処罰することは許されない」とされるとともに、「他面刑事裁判における量刑は、被告人の性格、経歴および犯罪の動機、目的、方法等すべての事情を考慮して、裁判所が法定刑の範囲内において適当に決定すべきものであるから、その量刑のための一情状として、いわゆる余罪をも考慮することは、必ずしも禁ぜられるところではない」とされます（最大判昭和四一年七月一三日刑集二〇巻六号六〇九頁）。しかし、余罪を実質上処罰する趣旨か情状として考慮する趣旨かを、具体的事件において事後的に審査するのは、きわめて困難です。単に情状として考慮するのであっても、その余罪を余罪として扱うことは、結局被告人をそれにつき有罪ときめつけることになり、その結果刑も重くなるわけですから、たとえ情状として扱う場合でも、余罪について厳格な証明を要すると解すべきではないかとの疑問が残ります。そうだとすれば、いっそのこと公訴提起が可能な余罪については、正面から起訴しない限り、刑の量定の資料としても用いることができないとする方が簡明でしょう。少くとも、余罪を処罰する趣旨でこれを量刑の資料として判決が確定したような場合には、この余罪についても実質上終局処理がなされたものとして、一事不再理効を認めるべきものと思われます。

第七章 自　白

田宮　裕

I 自白は証拠の女王

▼昔の裁判と拷問

近代法の夜明けを迎えるまでは、洋の東西を問わず、およそ刑事裁判には拷問がつきものだったといってもよいほどでした。たとえば、一六〜七世紀のヨーロッパを席巻したあの魔女裁判を思い起こしてみてください。骨を砕き、焼きごてをあて、天井から吊り落とすなど、宗教裁判の苛烈さはまことにすさまじいばかりです。

わが国でも、これよりすこしおだやかだとはいえ、拷問は、明治初年まで公認された取調べの方法でした。徳川時代の制度をうけついだものですが、簡単に説明しておきますと、笞打ち（むちうち）、石抱き（いしだき）、海老責め（えびぜめ）、釣し責め（つるしぜめ）の四種類の方法があります。

笞打ちは、両手を後ろ手にしばって両肩の下までしめあげて、肩を箒じりでたたくというものです。両肩に筋肉が集まるので、それほど痛くないのだそうで、これが拷問の第一段階です。それで白状しないと、薪を六、七本並べた上へ、両膝を出させて、後ろ手にしばったまますわらせ、膝へ石を乗せます。これが石抱きですが、石は伊豆石で一枚が数十キロ、これを二、三枚乗せるのですが、きかないとだんだん増やしていくのだそうです。一名そろばん責めともいわれました。第三段階の海老責めは、あぐらをかかせ、両手を背にして、両足首を一つに結び、縄を首へまわして、額が足につくまで前の方へぐいぐいと寄せて苦しめる方法です。それでもきかないと、後ろ手にしばったまま天井につるす釣し責めが行なわれることになります。これは最後の手段ともいうべきもので、徳川時代には、とくに老中に伺いをたててから、牢内に設けられた拷問蔵で、特別に行なわれたようでした。ちなみに、ヨーロッパでもこれと似たような拷問の方法がとられたことがあるようで、法制史的には興味のある現象だといえます。

▼拷問との訣別

このような残酷な方法がつい一〇〇年前まで行なわれていたというのですから、驚くではありませんか。では、なぜ拷問が許されたのでしょうか。答えは簡単です。自白は「証拠の女王」で、そのような自白がほしいからです。明治六年の改定律例は、「およそ罪を断ずるは口供結案による」として、有罪の立証には自白（調書）がいるとまで規定していました。

しかし、近代の人権思想がめばえると、拷問に対しては、強い批判が起こってきます。そこで、ヨーロッパでは、かなり早い時期に拷問は廃止されました。もっとも早かったのはイギリスで、すでに一六二八年の判例が、拷問の禁止を宣言したようです。大陸では、一七三四年にスエーデンが（もっとも、一七七二年にももう一度禁令が出ました）、一七四〇年にドイツが、一七七一年にデンマークが、一七八六年にイタリアが、一七八九年にフランスが、一八〇一年にロシアが、それぞれ拷問を廃止しました。

自白が証拠の女王でなくなってしまったわけではありませんが、さように重鎮であればあるほど自白の追及が過熱して好ましくないばかりか、自白への過信・誤信も生じ、かえって誤判に導く危険性も出てまいります。そこで、近代法の思惟は、自白は証拠の女王であるからこそ、拷問を禁じ、これに警戒の目を向けようということになるわけです。つまり、自白が証拠の女王だから拷問を認めようというのが近代以前の考え方であったのに対し、証拠の女王だからこそ、拷問を禁止しようというのが近代の考え方なのです。

▼ボアソナードと拷問の廃止

日本でも、西欧に遅れることほぼ一世紀、明治の初めになると、拷問廃止の声があがりました。なかでも有名なのは、津田真道が明治七年に「明六雑誌」に書いた「拷問論」で、かれは「天下の悪拷問より惨なるはなし、古今の害拷問より害なるはなし」と、情熱的にその非を訴えたのでした。

その直後、当時司法省のお雇い外人として日本にきていてパリ大学教授のボアソナードが、大木司法卿に建白書を提出するのですが、これが事態を決定的にしたといわれます。ボアソナードは民法や刑法や治罪法（刑事訴訟法の前身）の起草者として有名な人ですから、とくに説明するまでもないでしょうが、そのかれが、明治八年四月の某日、講義にでかける途中、裁判所で偶然、拷問（石抱き）の現場をみかけたのでした。あまりのことに驚ろき悲しみ、ただちに筆をとって、拷問廃止の意見書を書いたのです。

その理由書には、四つの根拠が展開されていました。第一に人道の観点、第二に自然法と絶対的正義の観点、第三に純理の観点、第四に日本の尊厳と利益の観点、がそれです。簡単に説明しますと、第一は、拷問が野蛮な非人道的方法であること、第二は、被告人は自己防御の権利を当然にもっているので、沈黙の権利、現在のことばでいえば黙秘権は神聖・不可侵かつ絶対のものであること、第三は、自白は虚偽の可能性があり、ヨーロッパでは補強証拠を要求するほどであるから、拷問を加えてとられた自白は価値が低いこと、第四は、日本は諸列強の治外法権に苦しんでいるが、その主な原因は拷問制度が残存しているためで、今こそ五ヵ条の御誓文にいう「世界の道徳律に一致しない風習の廃止」こそが日本の利益になること、を意味します。意を尽くした堂々たる論旨だといえましょう。

政府が拷問廃止を真けんに検討するようになったのは当然です。若干の時間はかかりましたが、間もなく、明治九年には、「およそ罪を断ずるは証による」という布告が出され、同一二年になると、法制上拷問ははっきりと禁止されることになったのでした。その確実を期するために、明治一五年の旧刑法は、「罪状を陳述せしむるため暴行を加えまたは凌虐の所為ある者」を処罰する規定まで設けています(二八二条)。当時の民間憲法草案の多くも、拷問廃止の規定をもっていました。当時いかに拷問への関心が深かったかがわかるでしょう。

II　適正な取調べのための制度的保障

▼予審制度の基礎

戦前の刑事訴訟法には、予審という制度がありました。これは、捜査と公判の中間に位して、いわば両者の中をとりもつ手続きです。公判に付するだけのねうちのある事件かどうかを選り分け、公判になってからでは集めにくいと思われる証拠を収集して、公判へのお膳立てをするわけです。あるいは、公判に向けて捜査をしめくくる役割を果たすものだといってよいでしょう。

これは日本だけにあった制度ではなく、一九世紀のヨーロッパ大陸で一般的にとられていたものです。なぜこのような制度を採用したかというと、捜査機関による捜査のあとに、すぐ公判をはじめるのはすこし不安だと考えられたからです。捜査機関は、検察官と司法警察の職員とで構成しますが、検察官がその主宰者だとされていました。ところが、その検察官の選りわけを終えただけで公判がはじまるというのでは、とくに被告人の負担の点で不都合な場合がでてきはしないだろうか、また、検察官に捜査をまかせてしまうと、捜査には強制力がつきものだから、人権侵害のおそれがあるし、反対に、公判を進めるうえから不十分なこともありはしないか、という点に不安が残ったわけです。

とくに検察官は、裁判官に比べれば、誕生後間がない比較的新しい官職で、当時はまだ十分国民の信任をうけるまでになっていなかったこともあり、検察官だけにはまかせ切れないと考えられたのでした。そこで、強制処分は、人権感覚も身につけ、公判の事情にも通じた裁判官にゆだねるのが好ましいということになりました。こうして、捜査と公判の間に、捜査を総括し事件を選別するという役割をになって、予審制度が生まれたのです。

▼取調べ権のありかた

ところで、被告人の取調べは、自白をとるための重要な処分（強制処分）ですから、予審制度のもとでは、当然予審判事の権限に属することになります。いな、もっと単刀直入にいうならば、不当な取調べによる人権侵害をさけるために、予審制度を設けて、捜査機関から取調べ権を奪い、予審判事にその権限を留保して、自白採取の適正をはかったのでした。

しかし、制度というのは皮肉なもので、いつもねらいどおりに動いてくれるわけではありません。「ミイラとりがミイラになる」ということばがありますが、人権保障をねらって設けられたはずの予審が、じつは自白強要の温床になってしまったではないか、という批判を一身にうけるようになります。証拠の補充という訴追機能を負わされ、しかも非公開の糺問手続きで行なわれるのですから、勢いの赴くところ「第二の捜査官」にならざるをえない宿命を担っていたともいえましょう。

そこで、それぐらいなら捜査機関に取調べを許したらどうだという主張があらわれるようになります。はじめは、それほど信望があるわけでもなかった捜査官も、実績をつみ重ねるうちにだんだん世の中に認められるようになり、やがて、もう一人前に捜査権を与えても大丈夫だろうということになるわけです。わが国でも、当初は、被告人の「訊問」は予審判事が行なうべきで、捜査機関は被疑者を取り調べることはできないとされていました。警察官が被疑者を取り調べて作った書類を「聴取書」と称して（したがって、予審判事のように「訊問書」ではないといって）証拠に出しても、裁判所は証拠に採用しなかったのです。ところが、明治三〇年代の後半になると、大審院は判例を変更して、この「聴取書」の証拠能力を肯定するようになりました。

捜査機関から権限を奪ってしまうと、かげでこそこそ悪いことをやることにもなるので、むしろ許したうえで一定のわくをはめ、監視を強めた方がよいという方法論が頭をもたげはじめるのです。もっとも、このような考えは、やがて世のファッショ化の大波とともに、捜査権限の強化論としてのみ先鋭な主張になっていきましたけれども。

▼**戦前の経験**

拷問を廃止し、予審制度によって取調べの適正を期そうとしたという歴史的由来は、捜査機関への取調べ権付与という新しい主張とても、決して忘れてしまってはいけないのですが、ひとたび権限が与えられれば、事件解決の期待が一身に集中する以上、それがめいっぱい活用されるのは、むしろ当然かもしれません。予審の経験じたいがそのことを教えてくれているともいえましょう。げんにその後の実務の運用は、予審と捜査機関とが、両々あいまって自白追及に血道をあげたことをよく示しています。

時代的背景ということもあるのでしょうが、あの拷問時代の再来かと思わせるような事例もたびたび問題とされるほどでした。昭和一二年における川上検事の「いわゆる人権蹂躙問題に就て」という「司法研究」(二四輯一二号)には、竹刀でなぐり、両脇をくすぐりあげ、鼻に水を注ぎ、木片を焼いて鼻先きでいぶし、放尿してふりかけるなどの言語に絶する苛烈な取扱いの例が紹介されています。思想事件にからめば、すさまじさはまさに目を蔽わんばかりになるのです。小林多喜二の虐殺はもはや公然の秘密ですし、戦争末期の治安維持法違反事件である横浜事件では、拷問を加えた警察官が、戦後職権濫用罪で実刑に処せられたほどでした。

予審判事に取り調べさせるというわば「制度的保障」をかなぐり捨てるならば、黙秘権ないし自白法則といった個別的・実質的な「証拠法的保障」をこれに代置する必要があったと思われますが、戦前には、そのような考慮はのぞみうべくもなかったのです。むしろ、有力な学説によれば、被告人にも供述義務じたいはあり、ただ、証人のように偽証の制裁がないので、法律上不完全な義務にとどまるだけだとされていたのでした。

Ⅲ 現行法における自白の地位

▼黙秘権と自白法則の確立

第二次大戦後、いちはやく予審が廃止されました。その人権侵害的・糺問的色彩が批判されたのです。しかし、そうだからといって、戦前のように、捜査の権限をそっくりそのまま捜査機関に委譲するだけでは困ります。捜査機関に強制的・糺問的な取調べ権を与えたのでは、予審を廃止した意味がないからです。そこで、新しい憲法は、まず三六条で、拷問の絶対的禁止を宣言したのち、三八条一項で黙秘権を保障し、さらに同二項で自白法則（自白の証拠能力の制限）を採用したのでした。

すなわち、三八条一項は、「何人も、自己に不利益な供述を強要されない。」とし、同二項は、「強制、拷問若しくは脅迫による自白又は不当に長く抑留若しくは拘禁された後の自白は、これを証拠とすることができない。」と規定しました。このような留保をつけたうえでなら、捜査権を捜査機関にゆだねてもよかろうというわけです。戦前の予審制度のねらいが、裁判官による取調べという制度的・形式的な方法論に立脚していたのに対して、戦後のねらいは、黙秘権ないし自白法則を徹底することによって、人権の実質的担保をはかろうとする具体的・実質的アプローチだといってもよいでしょう。

▼**黙秘権の保障**

この憲法の保障は、刑事訴訟法によって、さらに具体化されています。

黙秘権については、被告人質問に関する刑訴三一一条の規定があります。この規定により、被告人は、終始沈黙し、または、個々の質問に対して、供述を拒むことができるようになりました。旧法までは、被告人訊問という制度があって、審理のはじめに裁判長が被告人を犯罪事実や情状について根ほり葉ほり問いただしたのですが、現行法ではそれは許されないわけです。むしろ、裁判長は、冒頭手続きで黙秘権を事前に告知してやらなければなりません(刑訴法二九一条二項)。そして、質問は、証拠調べのさいごに補充的に行なわれるだけになりました。

被疑者にももちろん黙秘権がありますから、捜査機関は、取調べにあたって、やはり、あらかじめ自己の意思に反して供述する必要がない旨を被疑者に告知しなければなりません(刑訴法一九八条二項)。ただ、被疑者の取調べについては、すこし変な規定が残っています。被疑者は、被告人と同じように黙秘権があるのだとしますと、それは、どんな質問にもノーということのできる「包括的黙秘権」のはずなのですが、逮捕・勾留されているときは、被疑者には取調べ受忍義務があるかのように読める条文があるのです(刑訴法一九八条一項但書)。そして、通説や実務はこれを、身柄を拘束した以上、被疑者に対して、取調べの受忍を前提にしたある意味での追及的尋問が許されるものと解釈しています。しかし、それでは黙秘権の保障が有名無実になるとして反対する学説も有力で、わたくしも少数説のように、身柄を拘束されていようといまいと、取調べ受忍義務はないと解釈する方が正しいと思っています。

▼自白法則の具体化

自白法則については、憲法三八条二項の規定をうけて、刑訴法三一九条一項が設けられました。同条では、「強制、拷問又は脅迫による自白、不当に長く抑留又は拘禁された後の自白」のほか、「その他任意にされたものでない疑のある自白」も証拠とならないことが明言されています。自白の証拠能力は、「自白の任意性」の問題だといわれてきたことからもわかるように、憲法も不任意の自白を許容する趣旨ではありませんが法はこれを明文で確認したわけです。

そればかりか、よく注意して読むと、「任意にされたものでない疑いのある自白」も排斥されるのです。これは、任意性があることを検察官の側で立証する責任があるということを意味するのですが、「不任意」といえる場合ばかりか、必ずしもそうとは断言できないいわば「不任意の周辺」の自白も排斥しようというのです。法が自白について神経質すぎるくらいに警戒の念をもっていることがよくわかるでしょう。拷問と強制という野蛮な過去をマイナスの遺産として背負っている以上、反対の方へ行きすぎるぐらいで、ちょうどよい平衡点に達するのだと、立法者が考えたからだといえます。

▼虚偽排除説と人権擁護説

強制、拷問等による不任意の自白の証拠能力が否定されるのはなぜかということについて、従来、虚偽排除説と人権擁護説の二つの考え方がありました。これは、証拠排除の理由を説明する試みではありますが、実はどの範囲で排除法則が働くかということにも関係があるのです。

自白法則は、一八世紀にイギリスに生まれたものですが、当初は不当な誘引によってえた自白はうそが多いから排除しておくのだと考えられていました。肉体的にひどいしうちを受けて、恐怖から心にもない自白をするとすれば、それはでまかせや取調べ官に迎合した虚偽の供述になるでしょう。そのように苦痛によってゆがんでしまった供述を排斥するのが自白法則だと解するのが、虚偽排除説の立場です。いわば肉体的・物理的強制の加えられた時代に相応する考え方だといえましょう。

ところが、不当な誘引は野蛮な肉体的拷問だけにかぎるわけではありません。時代が進むにしたがって、誰の目にも明らかな拷問は姿を消し、むしろ陰微な心理的強制という手段が使われるようになります。きびしい環境のもとで長期間拘束を継続する、密室状態において外界との接触を断つ、尋問技術を駆使して連続的に取り調べるなどの方法によって、被疑者を「おとす」(自白させる)ことが追求されるでしょう。肉体的なきずは残りませんが、供述するかしないかの自由意思は無視され、被疑者は心ならずも自白に追いこまれるというようなことになります。これは、ほかならぬ黙秘権の侵害を意味します。そこで、自白法則がこのようなことをさけようとするものであるならば、それは黙秘権なる人権を擁護するための原則だということになるはずです。これが人権擁護説の立場ですが、いわば心理的強制の時代に相応する考え方だといえましょう。

▼黙秘権と自白法則の融合

元来、黙秘権と自白法則は、概念的には別のものとして発達してきました。当初は肉体的拷問の回避を主なねらいとしていたこととも関連するわけですが、自白法則の方が一世紀も早く誕生したのです。やがて追いかけるようにして黙秘権の観念も確立しましたが、裁判上の手続きに黙秘権、裁判外の手続き（捜査）に自白法則が、それぞれ適用するものと理解されていた時代もあります。しかし、自白の不当な誘引が心理的なものにまで広がりますと、それは内容的には黙秘権と区別できぬほど一体化し、ここに両者は融合をはじめるのです。

前にみたように、わが国は、すでに明治期に拷問を廃止して、虚偽排除説が妥当するような時代に突入したのでしたが、戦後は、黙秘権をも宣言して、すくなくとも人権擁護説の妥当すべき時代に至ったといえるでしょう。

▼最高裁の判例

現行法のごく初期には、判例上肉体的拷問の事例もでて来ました。いわゆる八丈島事件では、警察官が「横ビンタをくらわし、被告人のワアワアという泣き声が近隣にきこえた」という証言をするほどですから、これはボアソナード事件の昭和版といっていいかもしれません（最判昭和三二・七・一九刑集一一巻七号一八八二頁）。それに近い事例として、小島事件がありま す

（最判昭和三三・六・一三刑集一二巻九号二〇〇九頁）。しかし、その後多くの自白事件が問題になりましたが、いずれもいわゆる心理的強制と見られる事案でした。

たとえば、勾留されている被疑者を取り調べるさい、両手錠をはめたままであるならば、特段の事由のないかぎり、自白の任意性に疑いがあるとしたもの（最判昭和三八・九・一三刑集一七巻八号一七〇三頁）、自白をすれば起訴猶予にする旨の検察官のことばを信じ、これを期待してなしたいわゆる約束による自白は証拠能力がないとしたもの（最決昭和四一・七・一刑集二〇巻六号五三七頁）などはその代表的な事例といえましょう。

▼**違法排除説の誕生と展開**

ところが、最近は、虚偽排除説や人権擁護説では、自白法則の説明としては不十分で、自白が排除されるのは、その採取過程が違法だからだという違法排除説が生まれ、次第に有力になっています。これは取調べの前提となる逮捕が違法であったり、取調べ方法が適正を欠くなどの場合に、供述内容じたいからは不任意の疑いが明らかでなくても、自白は違法な手続きの果実だから排除すべきだという主張です。

アメリカにおけるマックナブ事件（逮捕後遅滞なく裁判官のもとに被疑者を引致しなかった手続きの違法を理由に、その間にとられた自白を排除）やミランダ事件（逮捕された被疑者に黙秘権や弁護権〔国選弁護請求権であると同時に弁護人の立会権〕を告知しないでとった自白を排除）に示唆を受けたものですが、憲法上適正手続き（デュー・プロセス）が要請されている以上、これに反するような手続きでえた証拠は、違法収集証拠として排斥されるべきだというのです。

これは見方によっては大へん思い切った考え方ですが、判例をよく眺めてみると、決して従来のわが国にも無縁なものではないといえます。たとえば、最高裁は、不当に長い抑留・拘禁後の自白であるかどうかを判断するさい、勾留の必要性という拘束の適否の基準を問題にしていますし（最大判昭和二七・五・一四刑集六巻五号七六九頁）、また、糧食差入れが禁止された事案で、糧食授受の禁止が違法なことを考慮にいれています（最判昭和三二・五・三一刑集一一巻五号一五七九頁）。いわゆる偽計を使った取調べの事案では、適正手続きの要求ということに言及しつつ自白を排除したのでした（最大判昭和四五・一一・二五刑集二四巻一二号一六七〇頁）。

下級審に目を移すと、違法な別件逮捕の結果とられた自白を排除するのは、もはや裁判例の大勢といってもよいほどです（たとえば、東京地判昭和四五・二・二六刑裁月報二巻二号一三七頁）。

これは、違法に押収された証拠物の排除法則と本質的に同じ種類の問題ですが、ついさきごろ、最高裁は、後者の排除法則の採用をはっきりと宣言するに至りましたので、（最判昭和五三・九・七刑集三二巻六号一六七二頁）今後は自白法則の発展をも触発することになるのではないでしょうか。

なお、違法排除説は任意性の原則とまったく無関係のように思うひとがいるようですが、排除の説明（理由）としては人権擁護説を一歩出るものではありますが、それは、自白採取過程が適正でなければ任意性が確保しえないと考えるからであって、目的ないし根拠の点では、従来の考えと帰を一にすることを注意してほしいと思います。

Ⅳ　補強法則の問題

▼補強法則の根拠

自白しか証拠がないときは、それがいくら信用のある自白でも、被告人を有罪とすることはできません。これを補強法則といいます（憲法三八条三項、刑訴法三一九条二項）。

自白の証拠法上の取扱いに関する原則を自白法則というならば、それは、これまで論じてきた証拠能力のほかこの補強法則をも含むはずです。ただ、ふつう自白法則というとき（狭義）には、証拠能力の原則をさすことを注意しておきましょう。

現行法が補強法則まで要求したのは、立法者がいかに自白に警戒の眼を向けていたかをよく示しています。自白は任意にかつ適式にとられた場合でも、それだけで被告人を有罪にすることはできないのです。他の証拠なら、たった一つしかなくても、裁判官の心証を動かしさえすれば、有罪の根拠にできるのに、です。自白は「証拠の女王」であるばかりに、偏重されて誤判の原因になっては困ると考えられたからでしょう。

ですから、手続き的にも、被告人質問は訴訟の最後の段階に行なわれることになっていますし、自白が調書等にとられている場合も、他の証拠（補強証拠）の取調べをすましてからでなければ提出できないものとされているのです（刑訴法三〇一条）。

▼公判廷の自白の例外

自白であれば、公判廷の自白であろうと公判廷外の自白であろうと、補強証拠を要求するのが法のたて前ですが（刑訴法三一九条二項）、憲法上は、公判廷の自白には補強証拠は要求されないというのが判例・通説です（最大判昭和二三・七・二九刑集二巻九号一〇一二頁）。これは、公判廷では不当な強制は起こりえないし、弁護人がついていて十分の権利保護が与えられているということに由来しますが、真のねらいは、公判で「有罪の答弁」をすれば証拠調べを省略してすぐ判決するという英米のようなアレインメントの制度を採用する余地を、憲法解釈として残しておきたいというところにあるといってよいでしょう。審理に緩急よろしきをえて、全体として迅速な裁判を実現するため、この制度が必要とされる時期がくるかもしれません。

▼共犯者の自白

共犯者の一方が自白し、他方が否認しているとき、その自白だけで否認している者を有罪にしてよいか（自白している者は、補強証拠がない以上有罪にはできません）というのが、共犯者の自白と補強証拠の問題です。

もしこれを肯定すれば、自白した方は無罪、否認している方は有罪というおかしなことになるという有力な反対もありますが、判例は、それでもよいのだとしています（最大判昭和三三・五・二八刑集一二巻八号一七一八頁）。その理由は、共犯者も、他の共犯者に対する関係では「他人」である以上、証拠価値の判断は裁判官の自由心証にゆだねるのが原則のはずだというのです。

しかし、「他人」であるなら、その証言で不利益をうける者が反対尋問で吟味できるはずだし、これを許さなければならないはずなのに、共犯者ではそれができませんから（松川事件などで「他人のウソの自白で殺されてはたまらない」と被告人が叫んだのもそのためです）、少なくとも公判廷で自白した場合をのぞいては、自白に準ずるものとして、補強証拠を要求する方が妥当ではないかとも考えられます。困難な問題であるだけに、最高裁でも問題になるたびに反対意見がついているほどなので、判例としての地位はなお不安定なものがあるというべきでしょう。

＊

以上、自白の問題を種々考えてきましたが、さいごは駈け足になってわかりにくかったかもしれません。自白はなんといっても最も重要な証拠ですから、どんなに規制しても、自白追及へのエネルギーはなかなか衰えるものではないでしょう。しかし、自白への依存度が高いと、真情は密室でこそ吐露されるのがふつうですから、それだけ捜査の比重が増大します。このことは、一方で人権侵害のおそれを残存させるとともに、他方で、公判に向けて捜査書類の重みが増すことを意味するのです。その結果は、訴追側の証拠の重視であり、当事者主義の後退です。このようなやり方が、ときに誤判へと導く原因であることは、すでに何度も指摘されたとおりです。そうであれば、われわれの課題は、いまこそ自白への依存度を相対的に抑制して直接主義・口頭主義の復権をはかることにあるでしょう。それこそが現行法が理想とする真の当事者主義の修復ということにつながると思われます。

第八章　違法収集の証拠

光藤景皎

I　排除法則の成立

違法に押収した証拠であっても、証拠それ自身としての資格を備えた（例えば、その犯罪事実立証のため関連性があること）証拠であるならば、法廷で証拠として許容される、というのが、英米でも長い間のルールでした。したがってこれはコモン・ロー・ルールとかオーソドックス・ルールと呼ばれました。実体的真実主義・自由心証主義を強調する大陸法やその流れをくむわが刑事訴訟においては、犯罪の立証に役立つ証拠は、それが獲得された手続が違法であっても、証拠として許容されることは当然と考えられていました。

違法に押収された証拠が証拠としての許容性（以下証拠能力と呼ぶ場合もある）をもつかが問題になったのは、アメリカ合衆国の連邦裁判所においてでした。一九〇八年に、想像力に富む一弁護士が、違法に押収した書類を還付するよう検察官に命じられたいという申立を連邦裁判所にしました。連邦裁判所はこの事件では押収は違法でなかったと判示しましたが、同時にこのような還付の申立をすること自体は適法だとしました。一九一一年には別のケースで連邦裁判所が、違法に押収された書類は還付することができる、という判決をしました。一九一四年に連邦最高裁判所が全員一致で違法押収証拠の排除を決定します。その事件では違法な富くじ計画のため郵便物を使用したかどで起訴された被告人が、当該文書の還付を求める公判前の請求をしたが、却下され、当該文書は証拠として公判に提出され被告人を有罪と認定するため使用されていました。連邦最高裁判所は、違法に押収された文書の還付請求の却下は誤りだとし、その証拠を使用した有罪判決を破棄したのです。判決文の中で、この排除法則を根拠づけてW・R・デイ判事は次のように述べました。

「もし手紙や私文書が不当に押収され保管され、そして犯罪の訴追を受けた市民に不利な証拠として使用されることができるならば、そのような捜索・押収を受けることのない市民の権利を宣言した連邦憲法修正第四条の保障は無価値となり、このような状態におかれた人人に関する限り憲法から見放されたも同然であろう」と。

すなわち、排除法則の根拠付けとして、①違法に（証拠を）押収された者は、その還付を求めることができるしその申立をしているのに、その証拠をその者の有罪立証に用いるのは背理である、②修正第四条は連邦官憲により不法な捜索・押収を受けることのない権利を市民に保障しているのに、その権利を侵害して得られた証拠であってもその者の有罪の立証のため用いうるとするなら修正第四条の保障は空文に帰する、ということです。しかし、還付請求権を根拠にする考えは、また改めて適法な令状を得て差押えることを許すことになるでしょうし、またそういう個人的権利を根拠にすると本人が還付請求権を行使しなければ、違法に押収された証拠でも許容されることになるでしょう。もっともアメリカでは現在でも、不法な押収をうけた被害者だけが排除請求をする適格（スタンディングという）をもつとしていますが、これは右の考えが暗黙の裡に引き継がれているのかもしれません。

②は、憲法修正第四条の権利の保障が空文化されることを根拠にしますが、そういう官憲の違法行為に対しては刑事訴追なり別の制裁を加えればよいので、起訴された犯罪の立証にとって有用な証拠を排除するために、それだけで十分な論拠であるかにはなお疑問がもたれるでしょう。しかし、違法行為を行った警察官に対する刑事訴追や損害賠償請求が実効性がなければ、話は別になります。この認識も、ウィークス判決の基礎にあったのではないかと思われます。

いま一つの考えは、オルムステッド判決の（少数意見の中でですが）ホームズ判事らの見解の中にもみられます。同判事は、「……政府が下劣な役割を演じるよりは、処罰を免かれる犯人があってもその方が弊害が少ないと考える」といい、ブランダイズ判事は「違法な証拠の使用は、法への尊重を維持するため、正義の実現への信頼を増進するため、汚れから司法手続を守るために拒絶される」と述べました。これは、警察官が法を破り、そして国家の他の機関（裁判所）がその違反の結果に手を差しのべるとき、市民が、（国家は）そもそもかかる行為を禁止することを真に意図したと信ずることが困難であるというように、司法に対する国民の不信を醸成しないか、ということに論拠をおく考えの先駆をなします。訴追側が法に反する行為によって得られた証拠を提出し、裁判所がこれをうけ取るならば不可避的に裁判所は違法行為に加担していることにならないか。捜査機関が憲法によって手にすることを許されていないのであればそれは裁判官に対しこのような不法を引継ぐことも同時に許していないのではあるまいか。

この考えは、一九六一年、州にも排除法則の適用を宣言したマップ判決においても、司法の廉潔性の命ずるところ（The Imperative of Judicial Integrity 司法の無瑕疵性の要求ともいわれます）として明確に承認されました。同時に、司法の廉潔性に対する国民の信頼の確保ということも、この論拠付けの基礎にあります。しかし、後者がマップ判決における排除法則の宣言の必須不可欠の論拠であったかには疑問があります。

II　適正手続の保障

いま一つは「適正手続の保障」を論拠とする考えです。一九一四年にウィークス判決で排除法則が宣言されますが、それは連邦官憲が違法に押収した証拠は連邦裁判所では証拠として許容されないがその法則は州には適用されないという限界をもっていました。アメリカでは州の独自性が強いので、連邦裁判所が州の官憲の行為を州裁判所に対する監督権の発動を通して規制することが躊躇されたからです。一九四九年ウォルフ判決で連邦最高裁は、「州の犯罪を州裁判所で訴追する場合には修正第一四条（適正手続の保障規定）は、不当な捜索や押収によって得られた証拠の使用を禁じていない」と判示しました。警察官による恣意的なプライバシイの侵害は修正第一四条の適正手続条項によって保証された基本的公正という基準に合致しない。また修正第四条は全く全部といわないまでも重要なものは州に対する拘束ともなっている。しかし州は、右の禁止規定を実施するにあたっては独自の方法を選択することができる。排除法則は、適正手続が明示的に要求するものではなく、最高裁判所が連邦裁判所に対する監督権にもとづいて連邦裁判所に適用される一つの行為基準にすぎない。このように考えたからでした。しかしすでに三名の判事が少数意見の中で、州にも排除法則がなければ修正第四条に違反して獲得された証拠を不利な証拠として用いられる者は憲法から見離されたも同然であろうと主張していました。だが連邦最高裁は、一九五二年ローチン事件で、警官が押入ったところ、ベッドのわきの机の上のカプセルをのみ込んだローチンを手錠をかけて病院に連行し医師によって催吐剤溶液を管で胃の中へ入れさせ、それにより嘔吐したモルヒネのカプセルを証拠として採用した州裁判所の有罪判決を全員一致で破棄しました。胃の内容物の強制的採取など証拠を入手するためにとった州の捜査機関の一連の行為は、まひした感覚でさえ害さざるをえないほど、「良心をぞっとさせる」行為であり、拷問や供述強要に酷似し、憲法上両者の差異を認める余地がない、として連邦憲法修正第一四条の適正手続条項を通して有罪判決を破棄したのです。しかし二年後、カリフォルニア州の警察官が違法な競馬賭博の嫌疑でアーバインという男の家に留守中立入り、寝室や戸棚の中に隠しマイクをとりつけ会話を聴取し、さいごに有罪の証拠になる話を入手したケースで、連邦最高裁は、警察官の用いた手段は憲法に違反するものであるけれども、かような手段によって獲得された証拠を使用することは適正手続を否定するものではない、としました。勿論これにはつよい反対意見がありました。連邦の警察官が違法に収集した証拠は連邦裁判所で排除されるのに、州警察官により収集された証拠は、「良心をぞっとさせる」「正義感覚をまひさせる」ような違法がなければ証拠になる。そうすると連邦警察官は、自らは違法行為をしないで州警察官の違法行為から入手しうるところとなった証拠を連邦の刑事訴追で用いることができることになる。かような矛盾に対し、一九六〇年エルキンス事件で連邦最高裁は、連邦警察官の指揮をうけている場合には、修正第四条の不当な捜索・押収を受けない権利を侵して州警察官によって獲得された証拠は連邦の刑事裁判では証拠から排除される旨宣言しました。だが連邦検察官が通りの向うでは用いてはならない証拠を、州検察官は用いることができるのは矛盾があります。一九六一年、さきに挙げましたマップ事件で、連邦最高裁は、五対四で、排除法則は単なる証拠法則ではなくて憲法にもとづくものであり修正第一四条の適正手続条項によって州をも拘束すると宣言しました。法廷意見を書いたクラーク判事は、すでに連邦の介入なしに多くの州で排除法則が採用されていること、刑事訴追や民事損害賠償請求訴訟のような、違法な捜索・押収に対する他の救済は、「無価値で且つ役に立たない」こと、を挙げ、官憲の違法行為によって獲得された証拠の使用をゆるす、なお依然開かれたままであるドアーを閉すべき時だ、と述べました。そして排除法則は、「(明確な、特別の、憲法上要求される抑制的保障であり) それを重視しなければ、修正第四条が言葉だけのものになってしまう」といいました。要約して彼は、何人も、州裁判所においてであれ連邦裁判所においてであれ、憲法に違反して得られた証拠によって有罪判決されることはない、と結びました。

かようにみてくると、合衆国で適法手続違反を理由とする証拠排除は、連邦裁判所が修正

第一四条の適正手続条項を通して、州にも排除法則の適用を及ぼすために、過渡的に主張された論拠であることがわかります。そういう意味で、「良心にショックを与える」とか「正義感覚をまひさせるような」重大な違法のある場合には、州の自立性をみとめた上でも、排除法則を及ぼさざるをえない、という考えから、かつて主張されたものでした。したがって、連邦——州という問題のないわが国で考える場合には、「適正手続」をたんに憲法の条規に違反しただけでなく公判手続を含め全体として司法手続を不公正と感ぜしめるほど重大な権利侵害の場合に限定してとらえる必要はないように思われます。わが国の下級裁の裁判例には、違憲・違法な別件逮捕勾留中に得られた自白、交通事故で失神中の被告人から（医師により）採取された血液等を憲法三一条を根拠に排除したものがみられますが、正当であるように思われます。

III　排除法則の有効性

「何人も違法な捜索・押収を受けない」市民の権利の保障は、かようにして得られた証拠が排除されなければ、空文に帰するという論拠、「国家が違反行為を行ない、裁判所がその結果を受理することは、司法手続の廉潔性を損い、矛盾且つ不公正であり」、「かつ国民の間に法に対する侮辱の感情を醸成する」という論拠は、それぞれにもっともな論拠だと思われます。

しかし、このように「権利の空文化」「国家の不公正」「国民の法への侮辱の感情の醸成」を理由とする排除説に対して、ある者が犯した犯罪のゆえにその者に有罪判決をするのに明らかに有用な証拠を利用する利益はどうなるのか、収集手続が違法であった証拠を使用することは、なにも捜査機関の違法行為を認め許したわけではない、捜査機関の違法行為に対する制裁は、別に刑事訴追や損害賠償という方法によるべきではないか、という反論が加えられました。連邦で排除法則が採用されるや証拠法の泰斗ウィグモアーは、ウィークス判決は「見当違いの感傷」の産物以外の何物でもないとし、また、カードーゾは、ニューヨーク控訴裁判所の判決中で排除法則を評して「お巡りがへまをしたから犯人が放免される」という結果になる、と述べました。また、被告人の犯罪行為という一つの違法行為だけであれば被告人は有罪判決をうけるのに、それに警官の証拠収集にあたっての違法行為がつけ加わる――即ち違法行為が二つになる――と、両者とも処罰をまぬかれることになるのは奇妙なことではないか、という批判もなされました。

しかし注目すべきことは、排除法則に反対する見解も、警察官に憲法に反するような証拠収集行為があった場合、その違法行為に対し何らの制裁的結果も伴わないことは認めえないとしていることです。それがなければ、「市民の権利の空文化」「法又は司法に対する不信」がおこることを認めているといえます。したがって問題は、排除法則以外の方法、即ち刑事訴追や損害賠償請求という方法が現実に十分機能しうるかということにかかってきます。これらが十分に機能するのであれば、排除法則という場合によっては罪ある者を放免することになる方法をとらなくてもよいといえるでしょう。排除法則は違法行為に対する制裁としてはいくらか「間接的」な方法でありますし、この方法で救済されるのは、有罪認定をうけるおそれのある被告人に限られるという限界ももっているからです。すなわち、違法な捜索・押収をうけた第三者又はその事件で訴追されなかった者を救済することにはならないからです。

だが、刑事訴追については、違法行為を行った官憲が訴追されると考えるのは現実を直視していないといわれます。というのは警察官の違法行為は逮捕を行ない犯罪を解決しようとして見当ちがいの熱意とか熱心さのあまり、あるいは法の限界についての誤った判断にもとづいて行われることが往々あり、検察官はかかる違法行為をした警察官を訴追することを躊躇する傾向は否定できないでしょう。また検察官が有罪判決をうるのについて助力した警察官を訴追するのも躊躇するのではないでしょうか。アメリカではこの種の訴追はほとんど行われてこなかったと報告されています。

いま一つは損害賠償請求ですが、この請求も実際上稀にしか行われません。というのは、違法な捜索・押収をうけた者は、ひとたび警察の手を逃れたならば、やぶをつついてへびを出すようなことはないし、また、弁護士の助力をうべき資力をもたない場合も多いのです。また、請求を出したとしても、その損害（往々精神的損害）の立証は困難であり、又官憲の故意・過失の立証も同様です。訴訟に出費を伴うのに警察官を訴えてもめったに得をすることはないと思うでしょう。また長びく訴訟を好まないでしょう。かようなことで、不法行為に対する損害賠償請求の方法も、実際にはほとんど意味をもたないことがアメリカでも認識されていました。

「違法行為をした警察官を許すわけではない」という、排除法則反対論者の主張も、現実を見きわめた上でつきつめてみると、代替方法の有効性（実効性）が僅かか殆んどないことが認識されたわけです。かような認識に立ってマップ判決は排除法則を州にも適用することに踏切ったわけです。違法な捜索・押収に対する他の救済策は「無価値で且つ役に立たない」と。そうすると官憲の違法行為によって獲得された証拠の承認を許可するためなお依然として開かれたままであるドアーを閉す（排除法則を採用する）必要がある、と考えたのです。

すなわち、他の代替方法は有効性がないとすると、違法に収集された証拠の排除が唯一の方法だと考えられたわけです。そして、そういう方法によらないで、かかる証拠を裁判所が許容しそれに基いて有罪判決をすることは、司法の廉潔性を害すると考えたのです。また同時に排除法則は、違憲・違法な警察官の行為を抑止する、といわれました。もともと排除法則の有効性は、他の有効な方法がない、それなのに違法な結果を引き継ぐのをそのままにしてよいかというういわば「消去法」でしたが、将来にわたって警官の違法行為を防遏するとにこそ目的があるといわれるようになりました。

そうしますと、排除法則は実際に警察官の違法行為を防遏する効力を示しているのかが問われることになります。すでにアーバイン判決の中で、ジャクソン判事は、「排除法則が、罪ある者を放免する結果になることは、排除法則が警官の違法な行為を抑止することよりも証明が可能である。証拠排除は違法行為をした警官を処罰しない。……警察官の違法行為を理由に、被告人を放免することの懲戒的及び教育的効果は、きわめて間接的なもので、よく見積ったところで、手ぬるい抑止であるにすぎない」と述べていました。

これに対しマップ判決の先駆といえるケーハン事件（一九五五年）でカリフォルニア最高裁は、①警察官や検察官は、第一に犯人を有罪とすることに関心をもっているから、排除法則が違法な捜索・押収のすべてを防止するものではないとしても、それを思い止まらせるであろう、そうしなければ彼らの目的が危殆化されるからである、②他の方法は憲法上の規定の実行を確保することに失敗したので、排除法則に到達せざるをえなかった、と述べました。

この①②が一体をなして排除法則のもつ官憲の違法行為の「抑止効」論の論拠をなしていました。一九六一年の画期的なマップ判決もこの論拠の上にも立っていたのです。そして一九六〇年代は排除法則が合衆国において確かな地歩を占めたかにみえました。

Ⅳ　試練に立つ排除法則

一九七〇年代に入り、ウォーレン長官の退陣とバーガー長官の登場により、連邦最高裁の排除法則に対する考え方に変化が生じます。それにつよい影響を及ぼしたのはシカゴ・ロー・レビューに載ったオークス教授の論文（一九七〇年）でした。彼はいくらかの調査にもとづき、①警察による違法な捜索・押収の直接的抑止の方法としては排除法則は失敗である。訴追までもってゆく意図のない圧倒的多数の警察官の行為に対する直接的抑止効を排除法則に期待することはできないし又排除法則は訴追を目的とする部分的には少数の警察の行為に対し何らかの抑止効を及ぼす証拠もほとんどない。②排除法則は（その適用をのがれるため）警察官による虚偽の報告をする機会と誘因を与えることになる。③排除法則をとると、一つの違法行為即ち被告人の違法行為だけがあった場合には被告人は処罰され、しかし二つの違法行為すなわち被告人の違法行為と警察官の違法行為があった場合には両者が放免されることになるがかような不合理を容認するのは際限のない忍耐力をもつ制度だけだ。このように述べました。③は以前から排除法則反対説によって唱えられていたことですが、違法行為をした警官を処罰するという方法は実効性がないからこそ次善の排除法則によらざるをえないこと、排除法則はその欠陥にも拘らず、なお欠陥を超える役割をもっていると考えられてきたのです。②も、すでに自白の任意性をめぐる審理においても生ずることであって排除法則の採否を動かす理由とはならないでしょう。けっきょく問題は①であり、ほとんど（警官の違法行為の抑止）効果がないことのために払う代価（有用な証拠の排除）が大きすぎるということにあるのでしょう。たしかに警官の違法行為に対する抑止効をもつことの証明は困難といわざるをえません。現にオークスの結論に反対の実証的研究も出されていて、この点は水かけ論の様相を呈しています。「抑止効」が排除法則の論拠の中心におかれつつあったアメリカでは、実際上の抑止効への疑問提起は大きなインパクトをもったことは否定できないように思われます。

バーガー判事は、連邦最高裁長官に就任するや、時をおかず一九七一年ヴィバンス事件の少数意見の中で、排除法則は①「観念的に不毛であり且つ実際的には非効果的である」又②柔軟性がなさすぎる（too inflexible）と批判しました。しかし彼も③「意味ある代替処置」が開発される迄は排除法則を放棄することは躊躇するとつけ加えることは忘れませんでしたが。

はたして、バーガー・コートは、一九七四年カランドラ事件において、排除法則は大陪審での供述には適用されないと判示しました。法廷意見を書いたパウエル判事は、大陪審は歴史的に犯罪の審査のための広い権限をもってきた、それは非公開の審議であり、それが適当と考える証拠を求めるにあたり技術的な手続上及び証拠法上のルールによって制限をうけない。さらに大陪審の審問は有罪・無罪が判断される当事者対抗的審理（アドバーサリー・ヒアリング）ではない。大陪審は公判では不許容とされる証拠にもとづいて行動してよいし何人もその要求があれば供述する義務がある、と述べました。パウエル判事は、つづけて排除法則の第一の目的は、捜索の被害者のプライバシイに対する侵害を救済することではなくて、むしろ「警察官の将来の違法行為を抑止する」ことである、と述べました。そうしますと、排除法則は、それがもっとも効果をもつであろう状況に対してのみ適用が限定されることにならざるをえません。これに対しブレナン判事は少数意見を代表して、多数意見は警察官の違法行為の抑止が排除法則の基本的目的であるという「驚くべき誤解」に立っている、排除法則は主として、裁判所が官憲の違法行為の協力者になるという汚れを避けることができるように、また政府が自身の違法な行為から利益をえることがないことを国民に保証するよう、考え出されたものである、と主張しました。そして、この判決は、司法が政府の違法な行為を承認していると少しでも見られることを避けるべき排除法則のきわめて重大な機能を、廃絶といってもよい程にまで減じる第一歩をしるした、と述べました。

多数意見が抑止効を唯一の論拠とし、それが期待できない場合には、排除法則の適用を放棄する方向をとるのは自然のなりゆきかもしれません。少数意見が排除法則のいま一つの論拠すなわち司法の廉潔性とそれに対する国民の信頼を思いおこさせようとしていることはきわめて意義のあることといえるでしょう。

ここで抑止効に悲観的なオークス教授が次の如く述べていることは注目しておくべきでしょう。

もし、憲法上の権利が偽善的な宣言以上のものであるべきならば、それに違反があるばあい何らかのはっきりわかる効果が、伴わねばならない。もし不法な捜索・押収に対する保障が侵害されそしてそれに対し実際上の処置がないならば、耐えがたいことである。裁判所が憲法上の権利の侵害があったという申立を審査しそしてそれらの権利の意義をはっきり示す現実的手続をもつことは、肝要である。排除法則の長所は――何らかの直接の抑止効を全く別とすれば――それが裁判所による審査の機会を提供しそして憲法上の保障に対し信頼性を与えることである。社会は、憲法上の権利の侵害に対し重大な処置をするであろうことを実際で示すことによって、排除法則は法の倫理的及び教育的力をよびおこし増大する。このことは、長い間には、法執行機関の行動の価値体系又は規範の中に、修正第四条の理想を融け込ませるかもしれない、と。

彼は、マップ判決が排除法則は裁判所による審査の機会を与えそして憲法上の権利に信頼性を認めさせる唯一の方法である、としたことを批判しているだけです。だからこれらの弱点や欠点にもかかわらず、それにとって代わり且つその主要な二つの機能を遂行すべき方法が存在するまで排除法則は廃止されてはならない、とするのです。

その後、合衆国で、これに代わるべき方法——刑事罰、民事賠償、行政上の懲戒制度、法廷侮辱としての制裁、差止命令、オンブズマンの制度、市民による監察制度などが考えられていますが、それぞれ難点があり、仮に排除法則を補充するものとはなり得ても、それに代替するものとしては不十分あるいは不適切な手段である、といわれているとのことです(井上正仁、刑事訴訟における証拠排除(8)法協九四巻九五六頁)。まず不当な捜索押収をうけた第三者又は起訴はされなかった者の救済が、排除法則には欠落している部分です——この点をオークス教授は衝く——が、この部分に対し真に有効な救済策が実証されてはじめて、排除法則が上記二個の目的達成のための唯一の方法ではないという論調が説得力をもつでしょう。こうみると抑止効論をささえる(2)の側面、すなわち、他に有効な代替策がない、という論拠を軽視し、直接的抑止の有効性が証明されていないことのみをもって排除法則の廃棄を迫る見解は妥当とは思われません。

そうすると残る点はバーガー長官が述べたいま一つの点、すなわち排除法則は、「柔軟性がなさすぎる」という点だと思われます。この方向として、井上助教授の紹介するところ（井上・前掲九五九頁）によれば、①収集手続の違法性の程度（「著しい違法」、憲法上の権利の「あくどい無視」）を基準にして排除法則の適用を制限する。②事件の重大性の程度を基準にして適用を制限する。例えば反逆罪や殺人、持兇器強盗など特に重大な犯罪については、ローチン判決の「ショッキング・テスト」が妥当する場合、あるいは修正第四条の「核心」が侵害されたような場合を除いては、原則として排除法則の適用を認めないという主張、③証拠を排除しても――少くとも理論上――充分な抑止効果が期待されない場合には、排除法則の適用を認めない、という形の制限を考える主張がなされています、しかし②によれば、一定の犯罪の捜査に関する限り、実質上ほとんど完全な違法活動の自由を認める結果になる虞があります（井上・前掲九五九頁）。また③の考えは警官の行為が完全な善意の下でなされたが、客観的には違法であったような場合には抑止効果は期待できないからかかる場合排除法則の適用はないことになるとされます。しかし、捜査官の主観は認定が困難であるばかりでなく、市民の権利の侵害は、捜査機関の事件解決への熱意のあまりとか法的限界についての知識の欠如又は法の尊重への緊張の欠如から生じるのが多いでしょうから、もしこの制限を正面からとり入れると、排除法則の適用場面はきわめて限縮されることになってしまいます。またオークスの指摘した排除法則の第二機能が著しく害されるでしょう。

ただ、マップ判決以後の合衆国の排除法則適用事例には、捜査機関の行為の軽微な瑕疵を理由にそれにただちに排除法則が結びついたとみられる事案もないとはいえません。その意味でそういう場面に限っては、①により、柔軟化を取り戻すべきという主張は首肯できるものがあります。しかし、憲法違反があっても、さらにその上に「良心にショックを与える」とか「正義感覚をまひさせる」ていどの重大な違法がないと排除法則が適用されないというのであれば、それは排除法則のゆきすぎた制限でしょうし、オークスのいう第一・第二機能をも害することとなるでしょう。

V　最高裁「排除法則」を採用

このようにみてくると、七〇年の歴史をもつアメリカの排除法則は、いくらかの批判や制限が提案されたり、あるいは判例上若干の制限が示されることがあっても、維持されつづけてゆくように思われます。

ところでわが国では最高裁判所は、昭和二四年一二月一三日判決（第三小法廷、裁判集一三号三七頁）の（傍論ではありますが）排除法則に否定的な判例以降正面からは排除法則を採用することを宣言しませんでした。しかし昭和三一年六月九日の大阪高裁判決（特報三巻一二号六三一頁）で違法に収集された麻薬及びその鑑定書の証拠能力が否定され、その事件の上告審判決(昭和三六・六・七刑集一六巻六号六一九頁)でも意見中で六人の裁判官が少くとも憲法に違反して収集された証拠は排除さるべしとの意見を述べていました。学説は理由付けは様々ですが排除法則におおむねほとんどが賛成していたといえます。そして下級裁判所の判例の中で違法収集証拠は、違法に獲得された自白を含め、排除されるというものが増加してきました。このような中で、戦後三〇年余を経てようやく最高裁判所も違法に押収された物の証拠能力を否定する排除法則を採用する旨を正面から宣言しました。

最高裁判所は昭和五三年九月七日(第一小法廷)判決で、違法に収集された証拠物の証拠能力について、正面から判断を示しました。すなわち違法収集証拠排除法則を認めるかどうかは、「刑事訴訟法の解釈に委ねられている」問題であり、証拠物の「押収手続に違法があるとして直ちにその証拠能力を否定することは、事案の真相の究明に資するゆえんではなく、相当でないというべきである」が、「証拠物の押収等の手続に、憲法三五条及びこれを受けた刑訴法二一八条一項等の所期する令状主義の精神を没却するような重大な違法があり、これを証拠として許容することが、将来における違法な捜査の抑制の見地からして相当でないと認められる場合においては、その証拠能力は否定されるものと解すべきである」としました。

証明力があり、そのゆえに犯罪事実認定に有用な証拠であっても、押収手続に違法があれば、証拠能力が否定される場合があることを正面から認めた、すなわち排除法則を採用した最初の最高裁判決として、その意義は大きいものがあります。

しかし、その論拠及び基準については、なお若干の疑問を持たざるをえないでしょう。

①違法収集の証拠物の扱いについては、憲法、刑訴法に規定がおかれていないことから何故それが憲法の関連規定（憲法三五条、三一条）の解釈の問題とならないで、刑訴法の解釈に委ねられるのか、分明ではありません。憲法レベルで、証拠排除という手段まで規定した憲法三八条の保障する権利と、憲法三五条の保障する権利との間に重要性で差があるのかどうか、もし差がないとすれば憲法三五条の反面解釈としてかかる権利を侵害してえた証拠の排除は論拠付けられないか、憲法三五条の保障の反面として排除が無理だとしても、憲法三一条の適正手続によらなければその他「刑罰を科せられない」という条項に、排除法則を読み込めないか、など検討の余地があったように思われます。下級裁判所が、違憲・違法な別件逮捕中に得られた自白、令状なしに失神中の被告人から（医師によってですが）採取した血液等を証拠排除するに当り、かような検討をしているのですから、なおさらそのように思われます。

最高裁は、憲法上排除の定めがないことから直ちに刑訴法のレベルにもってゆき、刑訴法一条の解釈問題とし、同条文がⓐ「事案の真相の究明」とⓑ「基本的人権の保障」を掲げていることに注目し、ⓐを証拠「物」の証拠としての特性によって補強し、それと比較衡量の対象としてⓑ適正手続、憲法三五条、刑訴二一八条をもってきたように思われます。

そうだとしますと、排除の基準は始めから、このⓐⓑの権衡に求められることになり、現実の場面での適用に不明確さや困難が伴うように思われます。
②基準として、(i)「証拠物の押収等の手続に、憲法三五条及びこれを受けた刑訴法二一八条一項等の所期する令状主義の精神を没却するような重大な違法があり」、(ii)「これを証拠として許容することが、将来における違法な捜索の抑制の見地からして相当でないと認められる場合」をあげています。この二つの基準は(i)「適正手続の保障」と(ii)「将来にわたって官憲の違法行為の防遏」という排除法則の目的に対応しており、特異なものではありません。(i)で官憲の行為の軽微な形式的違反の場合が除外されるのは、排除法則があまり硬直化しないために相当と思われますが、憲法や刑訴法の令状主義違反の場合でも適正手続違反とはならず、さらにそれ以上の違反行為だけが「重大な違法」に入るというのであるならば、それは、「適正手続」の意義の不当な制限となるように思われます。本件具体的事案で、最高裁は、相手方の承諾なしに上衣内ポケットに手を入れ所持品を取出し検査したのを違法としましたが、「本件証拠物の押収手続の違法は必ずしも重大ではない」から排除法則の適用はないとしたのをみると、かような危惧を抱かざるをえません。令状主義違反では排除せず「令状主義の精神を没却する違法」がなければ排除しないというのであれば、それは排除法則の

いわれなき制限となるでしょう。

また、「もとより同巡査において令状主義に関する諸規定を潜脱しようとの意図があったものではない」として捜査機関の意図も考慮要因としていますが、これも排除法則を換骨脱胎するおそれがあります。というのは、官憲の「意図」の有無はその認定が困難であるばかりでなく、また警察官をして令状主義違反の意図は「〃もとより〃なかった」という弁解の余地を与えることになりかねません。それでは、オークスのいう排除法則の第一機能（司法審査の意義）も失われることとなります。抑止効は直接の抑止を根拠とするよりも、他に防遏する方策が有効でないので、この方策によらざるをえないということで、そもそも「排除法則」を採用する論拠となっているものです。それなのに事案毎に抑止力があるか否かを裁判官が判断せねばならないとしたら、それは裁判官に過大な負担を負わせることになり、また出された基準は警察官を混乱させるでしょう。

以上の点で、最高裁判決にはなお疑問がありますが、ともかく正面から排除法則を採用した意義は否定しがたいように思われます。

今後下級裁判所が具体的事案にそって、この問題につき判断をつみ重ねてゆくことが期待されます。

本稿の表題「違法収集の証拠」からすれば、違法に獲得された自白についても述べねばならないのですが、表記問題の論点がもっとも鮮明な違法収集の物に限定した点おことわりせねばなりません。また、わが国において下級裁判例の中で、どんな場面でどのように排除法則が問題となってきたかの分析も割愛せざるをえませんでした。アメリカにおけるこの問題を中心としたのは、この問題の「考え方」を知る上で適切と考えたことによります。

【参考文献】

平野龍一「証拠排除による捜査の抑制(一)(二)」（刑法雑誌七巻一・二号、一九六二年）
アランバース・刑法読書会訳『市民の自由と警察権力』（一九六六年、日本評論社刊）
松尾浩也『刑事訴訟の原理』（一九七四年、東大出版会）
井上正仁「刑事訴訟における証拠の排除(一)～(七)」（法学協会雑誌九三巻六号・一〇号、九四巻七号、九五巻一号、七号、九六巻一号。一九七六年～一九七九年）
渥美東洋『捜査の原理』（一九七九年、有斐閣）

第九章　伝聞証拠

高田卓爾

Ⅰ　伝聞(でんぶん)証拠とは何か

▼**伝聞証拠の概念**

刑事裁判では、起訴された犯罪事実を証拠によって証明しなければならないのですが、各種の証拠のうち、人の言葉を証拠とする場合を供述証拠とよびます。証人の供述（＝証言）が、その代表的なものです。この供述証拠には、⑴自分で直接に知覚した者がその知覚したことをみずから述べる場合と、⑵直接に知覚した者の話を聞いた者が前者に代って間接的に述べる場合、とがあります。この⑵の場合の供述が伝聞供述であり、伝聞証拠といわれます。たとえば、甲がみずから犯罪現場を目撃した後に、友人の乙にその状況を話して聞かせたとしましょう。右の犯罪事件が起訴され、現場の状況を明らかにする必要が生じたとき、最も適切な方法は、甲を証人として呼び出して証言させることです（A図①）。しかし、もし甲がすでに死亡していたなどの理由で証人として証言させることができない所とすれば――そして、他に直接に目撃した者がないとすれば――、乙を証人として呼び出し、甲が犯罪現場の状況について話したことを述べさせるという方法（A図②）が考えられます。この場合の乙の供述が伝聞供述にあたるわけです。

A図
①犯罪↑甲⇩裁判所
②犯罪↑甲⇩乙⇩裁判

▼伝聞証拠排斥の原則

ところで、英米法では、右に述べた伝聞供述は伝聞証拠（hearsay evidence）として事実認定のための証拠とすることができない（このことを「証拠能力がない」といいます）というのが基本原則となっています。この原則を、伝聞証拠排斥の原則（または、単に伝聞法則）といいますが、これは英米法に特有なもので、フランス・ドイツを中心とする大陸法にはこういう原則は存在しません。

何故に英米法で伝聞法則が認められているのか、それはどのような理由によるのか。これについてはさまざまな説明がなされていますが、そのものずばりといった一義的な理由をあげるのは困難のようです。その若干をあげてみますと、(イ)原供述が宣誓の上でなされていないから果たして真実を述べているかどうか判断できない、(ロ)経験的にみて、人から人に語り伝えられるときは内容がゆがめられてしまう、(ハ)伝聞証拠を許すとそれと同じ種類の反対の証拠が提出されることになって、審理が無用に遅延してしまう、(ニ)英米では素人である陪審員が事実を認定し有罪・無罪を決定するが、このような素人に伝聞証拠の信用性を判断させるのは無理であり誤った決定に導く危険性が大きい、(ホ)英米の裁判の支配原理である当事者主義に反する、などです。これらは、それぞれそれなりの意味はあるのですが、比較的重要なのは(ニ)と(ホ)のようです。ただ(ニ)については、陪審が関与しないで裁判官だけが審判する場合にも伝聞法則が守られていることを説明することができない、という弱点があるようです。そこで、最も説得的であるのは(ホ)であると考えられます。すなわち、英米の刑事訴訟では当事者主義(当事者である訴追者と被告人とに訴訟追行の主導権を認める主義)が支配するため、証拠の信用性等についても反対側当事者による充分な吟味をさせることが必要ですが、伝聞証拠の場合には、原供述者が法廷にいないため反対当事者の尋問(これを反対尋問といいます)によってその供述が正確な知覚によるものか、その記憶がたしかかなど供述の信用性について吟味することができません。このような証拠をもとにして事実認定をすることは、疑わしい証拠による誤判という危険をはらむのみならず、当事者主義の理念にそわないことになります。そこで、伝聞証拠は排斥しなければならない、とされるのです。これを要約すれば、伝聞証拠は、それによって不利益を受けるべき側の当事者の反対尋問による吟味を経ないものであるが故に排斥される、ということになります。

▼伝聞証拠の意義の再検討

さきに、伝聞証拠の意味につき一応の説明をしましたが、伝聞証拠排斥の理由を考えますと、前述の説明は充分なものではなかったことになります。(1)まず、伝聞証拠は「伝聞供述」に限られないというべきです。何故なら、原知覚者に対して反対尋問ができないことは、その供述が書面の記載という形で法廷に出された場合も同様だからです。冒頭にあげた例でいえば、原知覚者甲が犯罪現場の状況をみずから書面に記載した場合や（これを「供述書」といいます）、甲から話をきいた乙が書面に書き取った場合（これを「供述録取書」といいます）に、これらの書面が裁判所に証拠として提出されしかも甲は法廷に出頭していないとしますと、反対側当事者は甲に対する反対尋問によって書面に記載された供述の信用性の吟味をすることができないのですから、右の書面はいずれも伝聞証拠にあたるといわねばなりません。英米法でも、はじめはもっぱら伝聞供述のみが問題とされていたのですが、後に書面の場合も伝聞証拠に含めるようになったのです。

(2)次に、逆に、およそ反対尋問のできない供述証拠はすべて伝聞証拠となるのかというと、そうではないのです。例をあげてこのことを説明しましょう。甲が「Aという男はひどい奴で、Bから金をだまし取った」と公言したとします。そして、甲がAに対する名誉毀損罪で起訴された場合に、右の甲の発言を直接に聞いた乙が証人として法廷に出頭し、甲がまさしく右の発言をした旨を供述したとき、この乙の供述（＝供述証拠）は、甲が言ったことを内容としているにもかかわらず、伝聞証拠にはあたらないのです。何故なら、この場合の乙の供述は、起訴事実たる名誉毀損の事実を証明するためのものであって、AがBから金をだまし取ったという事実を証明するためのものではないからです。換言すると、この場合の乙の立場は、まさに犯罪現場をみずから目撃した者にあたるのであって、従って、乙の法廷における供述は自分の直接体験した事実についての供述となり、伝聞証拠ではないことになります。これを要約すれば、供述証拠が伝聞証拠となるかどうかは、原供述者の発言内容をどのような事実の証明に用いるのかによって決定される、ということになります（昭和三八年一〇月一七日最高裁判決も、この趣旨を明らかにしています）。

(3)第三に、反対側当事者に反対尋問の機会を与えさえすれば、当該の供述証拠は常に伝聞証拠でなくなるかという問題があります。結論をはじめに言いますと、反対尋問の機会は事件の審判にあたっている公判裁判所の法廷において与えられている必要があるから、それ以外の時・所で反対尋問の機会が与えられていても伝聞証拠から除外することはできない、とされています。例えば、捜査の段階で裁判官による証人尋問が行われ、その際に検察官と被疑者とに反対尋問をさせたとしても、そこで作成された証人尋問調書（供述録取書の一種です）は、その事件が起訴され裁判所による審理が行われる段階ではやはり伝聞証拠と考えられます。何故かといいますと、もともと反対尋問のねらいは、反対尋問による証拠の吟味ということを通して裁判所に対して正確かつ新鮮な印象を与え心証形成に寄与すること、にあるからです。前の手続段階で反対尋問がなされればその点はもちろん調書に記載されるわけですが、書面の記載によっては、右に述べた効果は充分には期待できないと考えられます。そこで、右の調書を伝聞証拠として位置づけることが必要とされるわけです。

II 伝聞法則とわが刑事訴訟法

▼敗戦までの刑事訴訟法

すでに述べたように、伝聞法則は英米法に特有のもので、大陸法には存在しません。これは、大陸法型刑事訴訟は職権主義(訴訟追行につき裁判所が主導権をもつ主義)に支配されているため、当事者が対立的に訴訟活動を進めるということに重点をおかない性格をもっているからです。わが国の刑事手続法は明治一二年制定の治罪法以来、第二次大戦の敗戦までずっと大陸法型であったため、伝聞法則とは無縁でした。すなわち、伝聞証拠もなんらの制限なしに大手をふって証拠とすることが認められていたのです。

▼敗戦後の新刑事訴訟法

ところが、敗戦の結果生れた日本国憲法は司法上の人権に関する数多くの規定を設けていますが、それら諸規定を通覧しますと、基本的に英米型の刑事手続を想定していると解せられます。昭和二三年制定の現行刑事訴訟法はこのような要請によってあらたな構想の下に作られたものであり、英米型刑事手続の色彩が濃厚となっています。英米型刑事手続の中心的原理は、さきに述べたように当事者主義です。現行刑事訴訟法は、過去の大陸法型職権主義から英米型当事者主義へと大きく転回しました。そして、それに伴って伝聞法則が導入されることとなりました（なお、憲法三七条二項は、刑事被告人の証人審問権を保障する旨を規定していますが、右に述べた観点からすると、この規定は伝聞法則を念頭においたものと理解するのが正しいと思われます。但し、最高裁は必ずしもそうは考えていないようです）。

▼刑事訴訟法の規定

伝聞法則の採用を具体的に明らかにしているのは、刑事訴訟法三二〇条一項の規定です。この規定は「第三二一条ないし第三二八条に規定する場合を除いては、公判期日における供述に代えて書面を証拠とし、または公判期日外における他の者の供述を内容とする供述を証拠とすることはできない」としています。すなわち、とくに規定がある場合以外は、供述書面（供述書および供述録取書）または伝聞供述を証拠とすることは許されない、という意味です。

しかし、同時に、除外例すなわち例外があるということをも規定していることに注意しなければなりません。

率直にいって、伝聞法則そのものは——すでに述べたところからおわかりのように——比較的簡単なものであって、適用の上で困難を生じることは多くはないのですが、問題はその例外なのです。この例外を知らなければ、本当に伝聞法則を理解したということにはなりません。逆説のようですが、「伝聞法則とは、実はその例外法則のことである」といわれるゆえんが、そこにあります。

次項以下で、その例外の大要を説明することとします。

III 伝聞法則の例外

▼例外を認める理由

「例外のない原則はない」と言われますが、伝聞法則も同様であって、英米法じたいにおいてさまざまな例外が認められています。それは、伝聞法則をすべての場合に形式的に徹底するときは、かえって裁判の適正を害することになるし、また必ずしもこれを形式的にあてはめる必要はない、という点にあるようです。

▼例外を認める規準

伝聞法則そのものがイギリスで判例の積み重ねによって確立されたものですから、その例外も同じく多年にわたる裁判実務の経験から生み出されたものです。はじめから一定の規準を立ててそれによって律する、という経過をとったものではありません。したがって、数多くの例外のすべてを洩れなく説明できる規準を発見することは非常に困難だといわれるのですが、現在英米で最も有力に主張されている見解は、次の二つの要件が具備する場合に例外が認められる、としています。(イ)第一は、「必要性」という要件で、当該伝聞証拠のほかに適切な証拠がなくしかもそれを用いることが適正な裁判という見地から必要とされる、ということです。(ロ)第二は、「信用性の情況的保障」という要件で、種々の情況からみて、反対尋問という手段に代わる程度に当該供述の信用性が保障されている、ということです。ところで、前述の刑事訴訟法三二〇条一項の文言をみると、三二一条から三二八条までが伝聞法則の例外を規定したものということになるのですが（但し正確にいいますと、それらの規定のすべてが例外を規定したものと解することはできないのですが、ここではその問題に立ち入らないこととします）、そこでは右に述べた二つの要件が規準とされているものとみてよいようです。そこで、項をあらためて、具体的に例外がどのように規定されているか、その主要点を説明することとします。

Ⅳ　例外の具体的内容

▼例外の規定のしかた

さきに一言したように、歴史的にみると、まず伝聞供述が問題とされ、後に供述書面も伝聞法則の支配を受けるようになったものです。しかし、わが刑事訴訟法は、右の歴史的経過とは逆に、はじめに供述書面（供述書と供述録取書）について例外規定をおき、ついで伝聞供述について右の規定を準用するという方式をとっています。それは、そのようにするのが正確な規定をするのに好都合だというういわゆる立法技術によるものです。以下の説明でも、右の規定の順序によることとします。

▼被告人以外の者の供述書面

(1)裁判官の面前での供述を録取した書面（供述録取書）　これは、具体的には、当該公判裁判所とは別個の立場にある裁判官が証人尋問を行いそこで作成された証人尋問調書などを指します。この種の書面は、(イ)原供述者が死亡・所在不明などの理由で法廷で証人として供述できないとき、または(ロ)原供述者が法廷に出て証人として供述したが前の供述がそれと異っているとき、に証拠とすることができます（刑訴法三二一条一項一号）。(イ)の場合は、必要性は当然に存在すると同時に、前の供述を聞いた者が公正な立場にある裁判官ですし、証人は原則として宣誓しなければなりませんから、その供述の信用性の情況的保障は相当に高度なものと考えられます（さらに、もし右の証人尋問に際して反対尋問の機会が与えられているときは、その保障はそれだけ高められます）。(ロ)の場合は、若干問題があります。すなわち信用性の点は変りありませんが、必要性があるかが問題でしょう。もともと、英米法では、右のように法廷でした供述とちがった供述を法廷外でした場合、後者を自己矛盾の供述と称して、弾劾証拠（法廷での供述の証明力を低下させるための証拠）として用いることを認めますが、ある事実を証明するための証拠とすることを許しません。その意味では、わが法律は伝聞法則の例外を拡張しているといえます。ただ、わが法律における捜査と公判との関係は英米のそれと同じではなく、捜査段階で作成された供述書面の重要性が比較的に高いというところから、その意味での必要性が考えられていると説明できないわけではありません。

(2)検察官の面前での供述を録取した書面（供述録取書）　これは、検察官が参考人の取調べを行い作成した供述調書を指しますが、この種の書面は、(イ)前記の(イ)と同じ要件を具備しているとき、または(ロ)原供述者が法廷で証人として供述したが、前の供述がそれと重要な点で相違していてかつ後者の方を信用すべき特別の情況があるとき、に証拠とすることができます（三二一条一項二号）。ところが、(イ)については次のような問題があります。すなわち必要性の点は一応認めるとしても、検察官調書に対して裁判官調書と同様の信用性の情況的保障を認めてよいか、という問題です。それは、捜査機関として活動する検察官は裁判官と同様な公正な立場にあるとはいいかねますし、また、検察官の取調べでは宣誓ということはないからです。この点から、この例外規定は伝聞法則の本旨を逸脱したものとの批判がなされています。次に(ロ)の場合は、やはり自己矛盾の供述を証拠として許すものですが、前述の捜査と公判との関係から、裁判官調書にもまして重要性の高い検察官調書の必要性ということが考えられているのでしょう。信用性の点については規定の上で「信用すべき特別の情況」が要求されていますから、問題がないかのように見えます。ところが、実際の運用の上でこの「情況」の判断がかなりルーズになされていることが多くの人から指摘されています。そこに、伝聞法則の軽視が象徴されているのではないかという疑いがあります。

(3)前記(1)(2)以外の供述録取書および供述書　これらの書面は、(イ)前記の(イ)と同じ要件を具備し、しかも(ロ)その書面が犯罪事実の存否の証明に不可欠でありかつ当該供述がとくに信用すべき情況の下でなされたものである場合に、証拠とすることができます(三二一条一項三号)。(1)および(2)と大きく異なる点は、(a)原供述者が法廷に出て証人として供述した場合にはもはや証拠能力が認められないこと、(b)必要性と信用性の情況的保障とが極めて厳格なかたちで要求されていることです。換言すれば、この(3)の場合が例外を認める基本的な型で、(3)↓(2)

↓(1)の順で要件がゆるめられていることになります。なお、(1)(2)以外の供述録取書とは、具体的にいえば、司法警察職員・検察事務官などが取調べをして作成した供述調書や、私人が作成した供述録取書を指すことになります。

最後に、以上の(1)(2)(3)を通じて、供述録取書には、供述者の署名または押印が要求されていて、そのいずれもないときは証拠能力が認められません。いうまでもなく、そのときには供述の正確さが担保されていないからです。

▼被告人以外の者の公判準備・公判期日における供述を録取した書面

これは、具体的には、証人尋問調書（公判準備の場合）または公判調書（公判期日の場合）を指しますが、これらは無条件で証拠とすることができます（三二一条二項前段）。この種の書面があらゆる場合に伝聞証拠の性質をもつかは、厳密な分析を要しますが、ここではその問題にはふれないこととします。いずれにしても裁判所が行う証人尋問の場合の供述ですから、高度の信用性の情況的保障があるといえます。ただ、伝聞証拠となる場合に、当然に必要性の要件が具備しているかは多少問題を残しています。

▼裁判所・裁判官の検証の結果を記載した書面

いわゆる検証調書で、これも無条件で証拠能力が認められます（三二一条二項後段）。検証とは、物の性状等を五官で確認する処分ですが（犯罪現場についての実地検証など）、裁判所・裁判官がする検証には当事者の立会権が認められていることをも加味すると、信用性の情況的保障は確保されているといえますし、他方、こうした検証調書を証拠とする実際上の必要性はかなり大きいので、例外とする合理性は肯定できます。

▼検察官など捜査機関の検証の結果を記載した書面

これは、その作成者が公判期日に証人として尋問を受け、その真正に作成したものであることを供述したときに、証拠能力が認められます（三二一条三項）。この種の書面も一般に検証調書とよばれますが、裁判所・裁判官の検証の場合と要件がかなりちがうことに注意しなければなりません。これは、必要性の点ではほぼ同様に考えられますが、検察官などは裁判所・裁判官と立場がちがう上に、この場合の検証には被疑者の立会権は認められておらず、信用性の情況的保障がないからです。なお、「検証」とはその本来の意味では、法律で強制処分の一種として定められているものを指しますが、捜査の実際では任意処分としての「実況見分」というかたちで検証に相当する処分が行われることが多く、その際に作成される「実況見分書」がここに含まれるかが問題となります。学者の間では異論もかなりあるのですが、判例はこれを肯定しています（昭和三五年九月八日最高裁判決）。

▼鑑定の経過および結果を記載した書面で鑑定人の作成したもの

いわゆる「鑑定書」がこれで、性質的に検証調書と類似するため、それと同じ要件の下に証拠能力が認められます（三二一条四項）。なお、「鑑定人」という語につき、その本来の意味に理解すべきか（鑑定人とは、裁判所・裁判官の命によって鑑定をする者をいいます）、または、捜査機関によって鑑定の嘱託を受けた者（これは、前者と区別する意味で「鑑定受託者」などとよばれます）をも含めて理解すべきかについても両論がありますが、判例は後説をとっています（昭和二八年一〇月一五日最高裁判決）。

▼**被告人が作成した供述書、その供述を録取した書面**（被告人の署名または押印のあるもの）

これらについては、(イ)その供述が被告人に不利益な事実を承認するものであるときは、任意性を要件として、(ロ)それ以外の供述の場合は、とくに信用すべき情況の下でされたことを要件として、それぞれ証拠能力が認められます（三二二条一項）。(イ)の「不利益な事実を承認する」供述とは、理論的には自白を含みますが、自白については任意性を要する旨の規定が別にあります（三一九条一項参照）。例えば、殺人事件の被害者に対してかねてからうらみを抱いていた旨の供述でも、任意性が必要ということになります（任意性については「自白」の章で説明されるはずですから、それにゆずります）。なお、この種の供述は、反対当事者である検察官にとっては犯罪事実を立証するのに有利な供述ですから、反対尋問の必要はありません。だから、信用性の情況的保障を問題とする必要はありません（のみならず、被告人が自己に不利益なことを述べる場合、一般に自発的にでたらめを言っているとは考えられないでしょう）。もっぱら不当な圧力によって任意性が失われていないかどうかを問題とすればよいわけです。これに反して、(ロ)の場合は被告人に利益な事実（少なくとも不利益とはいえない事実を含めて）の供述ですから、検察官にとってそのまま認めるわけにはいきません。かといって、被告人にはいわゆる供述拒否権が認められていますから（三一一条一項）、検察官が反対尋問をしても被告人はそれに答える義務はありません（ちなみに、証人の場合は、一定の例外を除いて、尋問に答える義務があります）。したがって、検察官の反対尋問権は保障されないことになります。そこで、この場合には「とくに信用すべき情況」が要求されているのです。なお、注意すべきは、被告人の供述録取書については、被告人以外の者の供述録取書とちがって、誰の面前で供述したかは全く問題とされていないということです。

▼被告人の公判準備・公判期日における供述を録取した書面

これは、その供述の任意性を要件として証拠能力が認められます（三二二条二項）。これは、前述の被告人以外の者の供述についての三二一条二項前段とパラレルな規定ですが、被告人の供述の場合にはとくに任意性が要求されています。しかし、実際上任意性の存否に注意しなければならないのは「不利益な事実の承認」の場合だけであろうと考えられます。

▼公務員の作成した戸籍謄本等の証明文書、商業帳簿等の業務文書その他とくに信用すべき情況の下で作成された書面

これらの書面は、無条件に証拠能力が認められます（三二三条）。公務員の証明文書および業務文書は、英米法でも必要性と高度の信用性の保障があるとして、伝聞法則の例外が認められています。わが法律も、これにならったものです。なお、「その他……の書面」とは、右の書面に準じる程度に信用性が保障されたものを指していると解すべきですから、これを余り拡げて適用することは許されないというべきです。

▼伝聞供述

さきに一言したように、伝聞供述には供述書面に関する規定を準用することになっています。

(1)被告人以外の者の公判準備・公判期日における供述で、被告人の供述を内容とするもの。つまり、証人の供述の内容が被告人の話したことを内容とする伝聞供述の場合で、これには被告人の供述を内容とする書面についての三二二条が準用されます（三二四条一項）。その理由は、かさねて説明するまでもないと思います。ところで、被告人の供述録取書の場合にはその署名か押印のあることが要件とされていて、その限りで供述の正確さが担保されているのですが、口頭供述の場合には被告人の署名・押印というものはあり得ないのですから、三二二条（問題はその一項です）を準用するといっても、どう準用したらよいのかが問題です。結局、この場合には被告人にその証人に対する反対尋問を充分にさせて、被告人が証人にそのように言ったことは間違いあるまいと認めるに足りる情況が出てくればそれでよい、と解するほかないでしょう。

(2)被告人以外の者(A)の公判準備・公判期日における供述で、被告人以外の者(B)の供述を内容とするもの。　典型的な伝聞供述の場合ですが、これについては三二一条一項三号の規定が準用されます(三二四条二項)。つまり必要性と信用性の情況的保障という二つの要件が最も厳格なかたちで要求されることになります(前に述べたところを参照して下さい)。なお、ここでも、供述録取書には供述者の署名または押印が必要とされているのに、伝聞供述にはそれに相応するものがない、という問題があるわけですが、これは(1)で述べたのと同様に解することになります。

▼**その他の規定**

以上で、三二一条から三二四条までを説明しました。あと、三二五条から三二八条までが残ることになりますが、これらは正確な意味での伝聞法則の例外を規定したものとはいえませんし、また与えられた紙数の関係もあるので、すべて省略することとします。

第一〇章　自由心証主義

佐伯千仭

Ⅰ　自由心証主義の由来

▼証拠裁判主義と自由心証主義の系譜

刑事訴訟法は、三一七条に「事実の認定は、証拠による」と定め、ついで三一八条に「証拠の証明力は、裁判官の自由な判断に委ねる」と規定しています。前者は証拠裁判主義の、後者は自由心証主義の規定だといわれています。証拠裁判主義とは、犯罪事実を認定するためには、法律上証拠とすることの許された証拠（証拠能力のある証拠）を適法な手続で取調べた結果に基づかねばならぬとするもので、自由心証主義とは、そのように取調べられた証拠で何が認定されまたはされないかということの決定は、これを裁判官の自由な判断（自由な証拠の評価）に一任し、法規でいちいちそれに干渉し束縛しないのを原則とするものだと解されています。

このような証拠裁判と自由心証主義の規定は、何も現行刑事訴訟法で初めて採用されたものでなく、旧刑事訴訟法（大正一一年）にあった同趣旨の規定（三三六条、三三七条）を引継いだものにすぎません。その旧刑事訴訟法の規定も、さらにその前の旧旧刑事訴訟法（明治二三年）の九〇条を引継いだもので、その旧旧刑事訴訟法もまたそれ以前の明治一三年の治罪法（一四六条）からそれを受継いでおり、その治罪法の規定はもうひとつ前の明治九年の太政官布告第八六号、司法省達第六四号に由来しているのです。こういう次第ですから、その大本の太政官布告や司法省達がどういう事情で出来たのかということをみておく必要があります。

▼自白重視の初期刑事法

徳川封建制は明治維新で崩壊しましたが、その直後つくられた新律綱領（明治三年）という刑事法典では、なお、従来どおりに自白がなければ有罪の言渡しはできないという原則が維持され、またそのために「其重罪ヲ犯シ、贓証明白ナルニ、招承ニ服セザル（白状セヌ）者ヲ拷訊ス」という自白強制の拷問の規定があり、さらに拷問用の「訊杖」の作り方まで規定されていました。いわゆる糺問主義です。ついで制定された改定律例（明治六年）でも、いぜん自白が重視され、「凡罪ヲ断スルハ、口供結案ニ依ル、若シ甘結セスシテ、死スル者ハ、証佐アリト雖モ、其罪ヲ論セス」（三一八条）と定め、被告人の自白がない以上他にどんな確かな証拠がそろっていても、有罪の言渡しは許されませんでした。いわゆる法定証拠主義だったわけです。これは、その頃は、被疑者は取調べに対して真実を述べる義務があるものと考えられていたからです（黙秘権の否定）。他の証拠で罪状明白であるにもかかわらず被疑者が頑固に自白しないということは、自白義務の不履行であるから、その履行を強制するために拷問を用いるのは当然だと考えられたわけです。拷問について法に明文があり、拷問道具の作り方までに法定されていたことには、このような糺問主義と法定証拠主義という根底があったのです。

▼拷問への社会的非難

しかし、右のような裁判制度、ことに拷問裁判に対しては文明開化に向って動いていた社会の各方面から反対の声が高くなって行ったのは当然でした。そして、ついに元老院も明治九年四月二五日の決議で、親族相隠を許しながら、犯人が自己をかばうことを許さぬのは不合理であるということとか、アメリカ合衆国建国法でも自己負責を排してることをあげ拷問を非難し、問題の解決はむしろ「証左ノ明瞭ナルモノアラハ必シモ其ロ供ヲ要セス直ニ之ヲ断決スヘキノ法ヲ設ケ」ることによってもたらされると提案するに至りました。拷問してまで無理に自白をとらなくても、他の証拠で有罪とはっきり認められるなら、自白なしでも有罪判決ができることにしたらよいではないかというわけです。その理由は「犯人ノロ供ナルモノモ亦タ証人、証拠物、証書等ト同シク衆証ノ一部」に過ぎぬということでした。

▼自由心証主義の土台

これが容れられて同年六月一〇日の太政官布告（八六号）は、右の改定律例三一八条を「凡ソ罪ヲ断スルハ証ニ依ル、若シ未タ断決セスシテ死亡スル者ハ其罪ヲ論セス」と改め、ついで同年八月二八日司法省達（六四号）は「断罪証拠」として、「第一、被告人真実ノ白状、第二、被告人又ハ其他ノ文通又ハ手筆ノ文書、第三、相当官吏ノ検視明細書、第四、証左及参考ノ陳述、第五、裁判所ヨリ任シタル監定人ノ報告、第六、証拠物品、第七、徴験（仏語アンヂス）、事実ノ推測（仏語プレソンプシオン・ド・プェー）、顕迹（仏語エヴィダンス）、第八、法ノ推測（仏語プレゾンプシオン・レガル）」の八種をあげ、さらにこれらの「証拠ニ依リ罪ヲ断スルハ専ラ裁判官ノ信認スル所ニアリ」と定めるに至りました。さきにみた今日の証拠裁判主義および自由心証主義の土台はここに据えられたわけです。これによって拷問を必要ならしめた法定証拠主義は廃棄されたのです。またこれと同時に、刑事の被告人、被疑者には、黙秘権があり、自白その他自分に不利益なことは述べる義務がないという原則も確立できたはずだと思われるでしょうが、実際にはなかなかそうはいかなかったようです。そのことは、右の改定律例三一八条の改正の後も、新律綱領の「拷訊」の規定はなおそのまま残されており、実際にも拷問はなくなっておらず、制度としての拷問の廃止は、やっと明治一二年一〇月八日の太政官布告第四二号によって実現したのだという事実がこれを物語っています。

似たような歴史がヨーロッパ、とくにドイツあたりで見られるようです。ただ、そこでは、さきに拷問を廃止しながら、証拠法は依然として法定証拠主義が維持され、例えば、被告人の任意の自白か、信用できる二人以上の証人の一致した証言等がなければ有罪判決は許されず、情況証拠による事実認定は厳しく制限されていたために、これでは真犯人まで刑を免れてしまうという非難が高まり、ついに裁判官の事実認定をそんな法定証拠主義の拘束から解放する自由心証主義（freie Beweiswürdigung）が認められることになったという経過だったようです。つまり、自由心証主義における自由とは、裁判官はその証拠判断にあたって、従来のような法規による拘束を受けず、それから自由であることを原則とする（Freiheit von Beweisregeln）ということなのです。

II　「心証」という言葉について

▼刑事訴訟法に「心証」という用語はみられない

右に三一八条は自由心証主義の規定だといいましたが、法文には「裁判官の自由な判断に委ねる」とあるだけで、「心証」という言葉は使われていません。このことは、以前の刑訴法の規定をみても同様で、右の明治九年の達には「専ラ裁判官ノ信認スル所ニアリ」とあり、次の明治一三年の治罪法一四六条は「被告人ノ白状、官吏ノ検証調書、証拠物件、証人ノ陳述、鑑定人ノ申立其他諸般ノ徴憑ハ裁判官ノ判定ニ任ス」といい（ボアソナード草案訳には「査定」とありました）、それに代った明治二三年の旧旧刑事訴訟法九〇条も「被告人ノ自白、官吏ノ検証調書、証拠物件、証人及ヒ鑑定人ノ供述其他諸般ノ徴憑ハ判事ノ判断ニ任ス」と定め、大正一一年の旧刑事訴訟法はそれを簡略化し、現行法と同じく、三三七条に「証拠ノ証明力ハ判事ノ自由ナル判断ニ任ス」と規定しているという次第で、裁判官の信認、判定、自由なる判断等とあるだけで、どこにも心証という用語は見当りません。心証という言葉は一体どこから来たのでしょうか。

そこで他の法典をみてみますと、それが最初かどうか分りませんが、明治二三年の旧民法の「証拠編」のなかに、「判事カ証拠ヲ査定スル権ノ自由ナル場合ニ於テ判事ニ此主張ハ心証ヲ起サシメサリシ原告若クハ被告ハ其証セサリシ点ニ付請求又ハ抗弁ニ於テ敗訴ス」という規定（二条、なお八八条）があって、心証という言葉が使われています。現行民事訴訟法一八五条も「裁判所ハ判決ヲ為スニ当リ其為シタル口頭弁論ノ全趣旨及証拠調ノ結果ヲ斟酌シ自由ナル心証ニ依リ事実上ノ主張ヲ真実ト認ムヘキカ否カヲ判断ス」と規定していることは御存じの通りですが、これは大正一五年にできた新しい規定で、ここに使われている自由心証という言葉は、通常、さきにみた "freie Beweiswürdigung" というドイツ語に当ると解されているようです。

しかし、右の旧民法の規定は、ボワソナードの草案に由来するもので、ドイツ法に由来するものでなく、また同じ心証という言葉でも、現在の民訴法のそれが、裁判官は自由な心証で証拠を判断するのだと裁判官の主体的な証拠評価の面を強調する感があるのに対し、旧民法のそれは、判事に「心証ヲ起サシメサリシ」当事者は敗訴するといういい方で、むしろ証拠から裁判官が受けとる印象（証拠の働き）という側面に注目しているところにニュアンスの違いがあるようです。そして、実は、これと同じような「心証」という言葉の使い方が、刑事訴訟法の世界でも、もっと以前からあったのです。

▼ボワソナード「治罪法草案注釈」中の使用例

例えば、明治一五年（一八八二年）に印刷されたボワソナードの「治罪法草案注釈」の証拠編をみますと、右の治罪法の一四六条に該当する一六〇条には「被告人ノ自由ニシテ且ツ随意ナル白状、官吏ノ検証調書、証拠物件、証人ノ挙証、鑑定人ノ具申、事実ノ推測及ヒ其他諸般ノ証憑ハ良心ノ命スル所及ヒ正理ノ照ス所ニ循ヒ心証ヲ組成スル所ノ判事ノ査定ニ委ネラル可シ」とあり、その説明として、そこに掲げられた証拠があるだけでは判事は有罪を言渡すことはできないのであって、そのためには「有罪タル心証完全ナラサル可カラス、若シ此心証完全ナラサル時ハ判事ハ被告人ノ利ニ於テ判決ヲ下スヲ要ス」とあり、さらに「判事ハ原被両造ヨリ反対ノ意義ヲ以テ屢々提供スル凡テ外部ノ証拠並ニ弁明ヲ審査シ法意ノ如何ニ従ヒ自己ノ知覚及ヒ良心ノ照ス所ノ正理即チ幾ント格言ノ命スル所ニ従ヒ以テ其心証ヲ惹起ス可キナリ」と説かれていました。治罪法一四六条第二項には、単に「裁判官ノ判定ニ任ス」とあるだけですが、ボワソナードの原案は、前記のように「良心ノ命スル所及正理ノ照ス所ニ循ヒ心証ヲ組成スル所ノ判事ノ査定ニ委ネラル可シ」となっていたのです。そのフランス語の原文は“Sont laissés á l'appréciation des juges qui forment leur conviction d'aprés les dictées de leur conscience et les lumiérs de leur raison”となっており、「心証」とは conviction の訳であったことが分ります。このことは、また、明治一三年に出た宮城浩蔵の「オルトラン仏国刑法原論」の訳のなかでも、同国治罪法三四二条によって裁判長が陪審に対する発問の“Avez-Vous une intime conviction?”が「汝等ハ真誠ナル心証ヲ有スルヤ」と訳されていることからも理解されるでしょう。

こうみてくると、刑事訴訟法で問題となる有罪の心証とは、裁判官または陪審が、自己の良心の命ずるところと理性の照すところに従って証拠調べをした結果抱くに至った心の底からの有罪の確信であるということになります。

▼「心証」という訳語の由来

ではこのフランス語の conviction に「心証」という言葉を当てた明治初年のわが国の立法家達はどこからこの言葉をもって来たのでしょうか。実は、この心証という言葉は、今日、日常用語としても用いられ、例えば「心証を悪くする」というようないい方がされますが、これはむしろ法律家の用語が世間に広まったもので、以前からあった言葉ではありません。在来の漢和辞典をひいてみても「心証」という言葉は出てこないようで、新しい国語辞典では法律用語だと説明してあります。ただ一、二の辞典に仏教用語で、仏教の真理を会得し悟ることを指すという説明がありますが、今日では仏教でも余り使われていないようです。

そこで中国哲学の川勝義雄教授にご教示願ったところ、唐時代の詩に「花空覚レ性了。月盡知二心証一」（月盡きて心証を知る）とか、「燃燈坐二虚室一。心証二紅蓮喩一」（心に紅蓮の喩を証（さと）り）とかいう用法があるということでした。いずれも禅僧が坐禅の結果もろもろの疑団一掃し悟りに達するときの境涯をいうもののようです。

明治の立法家達はまだ若い人々だったのでしょうが、裁判官の証拠による事実認定を、このように仏者が心に真理、真実を会得し悟るときの心の在り方になぞらえて受取ったのだということに感慨を覚えます。それらの人達が intime conviction に「真誠なる心証」という文字を当てたことは、心を空しくして証拠に接した結果有罪だとの確信を抱くに至ることを示す言葉として、まことに適切であったといわなければなりません。

Ⅲ　自由心証の「自由」と論理及び経験則

▼「自由」の意味

「証拠の証明力は、裁判官の自由な判断に委ねる」という刑事訴訟法三一八条も、以上に述べたような歴史的背景を受けたものとして理解されねばなりません。そこには「自由なる判断に委ねる」とありますが、その自由とは、さきにも述べたように、裁判官は証拠の証明力の判断に当って、以前の法定証拠主義時代のようにいちいち法規による拘束を受けることはないのを原則とするという意味です。しかし決してどのような証拠をどう使おうと当該裁判官の勝手だという意味ではありません。裁判官の証拠の証明力に対する判断は、あくまでその良心の命ずるところと理性の照らすところに従ってなされる合理的なものであり、他の人々からも納得されるものでなければならず、この意味では極めて厳しい自己抑制に服するものであります。

▼裁判官の自由心証に委ねられるもの

このような裁判官の自由心証に委ねられるのは、証拠の証明力についての判断であります。

証拠については、通常、法律上それを事実認定の証拠に供し得るかどうかという証拠能力の問題（任意性を欠く供述や伝聞供述、単なる風評等には証拠能力がありません）と、ここにいう証明力の問題とが区別されています。後の証拠の証明力とは、証拠能力のある証拠について適法な証拠調べの手続を経た後で、それによってどんな事実が認定されるかということの判断に関する問題で、それが裁判官の自由心証に委ねられるというわけです。

それは極めて複雑且つ困難な仕事ですが、通常、まず個々の証拠がどの程度に信用できるか（信憑性または信用性）を判断し、それが信用できるということになれば、次にそれらの証拠の示すところ（証拠趣旨）から要証事実の有無についてどのような推論ができるか（狭義の証明力）を決定するということになります。しかし個々の証拠は相互に強め合うこともあれば相互に矛盾し両立しない場合もあって、どちらを信用しどう判断したらよいかとか、あるいはばらばらの証拠に直面してどのような筋道を辿って事件についての判断に達するかについて、迷い苦しむことが少なくありません。

▼経験則と論理の法則

この場合、右の信用性と狭義の証明力の双方について、良心と理性に従って心証を形成する裁判官を支え助けるものとして経験則と論理の法則とがあるといわれます。裁判官の事実認定が経験則に違反し、あるいは非論理的である場合には、その判決は上訴審で、事実誤認、判決理由のくいちがい、あるいは経験則違反等として破棄されることになります。

最高裁判所は、かつてある殺人事件について、現にその被告人の取調べに関係した警察官のうち三人までが、被告人に手錠をはめたまま調べたとか、四人がかりで調べた、あるいは署長が午前二時まで調べ、その際被告人を殴ったとか、被告人が自白前に自殺を図った等と公判廷で証言しているにもかかわらず、それらを無視し、かえってそのうちの一人に対する被告人の自白調書のみを証拠として有罪とした原判決に対して、それは「本件のごとく特段の事情のみるべきものがないにかかわらず、右の各証言を措信するに足らないとした点において経験則に違反し、また審理を尽さずに自白に任意性ありとした点において違法がある」として破棄したことがあります（昭和二六・八・一大法廷判決、刑集五巻一六八四頁）。

▼信用性の判断にも適用される

もっとも、このように証拠の証明力に対する裁判官の判断が、信用性と狭義の証明力の双方について経験則と論理による制約に服するとすることについては異説があります。例えば、右にみた判例の多数意見に反対した少数意見によると、証拠の証明力、とくに信用性についての判断は「その前提たる個々の理由を意識的に分析確定するのでなく、総合的直観的に結論を見出す」ものだから、裁判所は「論理の法則の適用から解放」されているのだとか（沢田、井上、岩松裁判官の意見、同上一六九四頁）、対立する証拠のうちの「いずれを信用するか否かは経験則の問題ではなく、まったく単なる原審の裁量選択に属するところ」である（斎藤悠輔裁判官の意見、同上一六九二頁）とかいうことになるのです。これらの意見によると、証拠の信用性の決定に当っては、裁判官は経験則、論理の法則のいずれにも束縛されることなく、すべてその自由裁量でどうとも決めうるということになるのですが、これはいい過ぎであって、信用性の判断についても経験則、論理の法則の適用があるといわなければなりません。

▼自由心証と自由裁量の区別

まず、右のように自由心証と自由裁量を同視することが問題です。なぜなら自由裁量では、裁量権者は自分のやった裁量について他の干渉を受けず、その裁量が正しくなかった場合にも、当不当の問題は生じても不法の問題は生じません。しかし、もし裁判で証明力の判断を誤れば、それは違法でその判決は上訴の結果破棄されることになります。自由心証主義とは、裁判官に証拠の証明力を合理的に判断させるために、その邪魔になるような法規による形式的拘束はおかないことにするという原則ですから、証拠判断の合理性については却って裁判官には重い責任があり、決して証拠に対する裁量処分の自由があるわけではないのです。この意味で、この場合は、むしろ裁量という用語は避けた方がよいと思います。

▼「総合的・直観的」な判断

また、右の少数説は、証拠の信用性の判断は、分析的でなく総合的・直観的であるから論理の法則（経験則も同様でしょう）の適用を受けないのだといいます。裁判官の判断が総合的・直観的という点はいかにもそうでしょう。裁判官が実際に証明力を判断する場合に、いちいち、この場合の大前提はこれで、小前提はこれだから、結論はこうなるなどと推論し、あるいはこの場合にはこれこれの経験則が問題になるが、こういうわけだからこの場合にはこっちの経験則に従おうなどと意識して動くわけではなく、正しくそれらがすべて裁判官の意識のなかで総合的、直観的に進行するのです。しかし、だから、その意識作用は論理と経験則から解放されているというものではなく、むしろ習熟され意識の底に蓄積されたそれらの知識経験のすべてが同時に総合的に働いて心証を形成し結論に到達するのです。これはちょうど熟練した運転者が障害物に接近したとき無意識的、本能的に正しいハンドル操作をするのと同じで、これもまた過去における正しい（合理的）運転の仕方の反覆習練の結晶です。

▼どの証拠でどの事実を認定したか

さらに、有罪判決には理由を附さねばならず、その理由には、証拠により事実を認めた理由も示すことになっています。三三五条一項の「証拠の標目」を示せというのがそれです。これは旧刑訴法の「証拠ニ依リ之（罪ト為ルベキ事実）ヲ認メタル理由」を示せ（旧三六〇条一項）とあったのを簡略化しただけですから、示された証拠の標目から、裁判所はどの証拠でどの事実を認定したのかが判るようになっていなければなりません。もし、それが判らなければ、それは判決に理由を附せず、又は理由にくいちがいあるものとして（三七八条四号）、上訴審で破棄されることになります。

このことは、証拠の証明力の判断が、総合的、直観的であっても、なお、なにゆえそのような判断となったのかについて、裁判官は、世人を納得させるような理由を説明し得なければならぬというのが法の建前であることを示すものです。しかし、そのような説明が可能なのは裁判官の事実認定そのものがもともと論理と経験則に即して成立っているからでしょう。

なお、右の少数意見の中には、裁判官がどの証拠を措信しどの証拠を排斥するかということは自由心証の問題であるから、有罪判決をする場合にも、それを説示する必要はないということも述べられていますが（同上、一六九四頁）、これも正当ではありません。さきに見た多数意見がいうように、一見経験則に反するような事実認定をする場合には、なにゆえ通常経験則の示すのと違ってその事件ではそのような判断をしたのかを示す（証拠理由の説明）必要があり、それをやらなければ、右の事件の原判決と同じく経験則違反または審理不尽として破棄されることになるのです。

Ⅳ　自由心証主義の例外はあるか

▼憲法との関連

以上自由心証主義についてみてきましたが、それと「何人も、自己に不利益な唯一の証拠が本人の自白である場合には、有罪とされ、又は刑罰を科せられない。」という憲法三八条三項、及びそれと同趣旨の刑事訴訟法三一九条二項（そこには「公判廷の自白であると否とを問わず」とある点が違いますが）の規定との関係について考えておく必要があります。本人の自白は、その任意性に疑いがない以上証拠能力があり（三一九条一項）、またその証明力は裁判官の自由心証に委ねられるのですから（三一八条）、本来ならば、もし裁判官がその自白だけで有罪の心証を得た以上、有罪の言渡しも許されるのだとするのが当然であって、右のようにさらにその自白を補強する証拠がなければならぬとするのは、一見自由心証主義と矛盾するもののように見えるからです。現に、判例もそれらを「刑訴三一八条で採用している証拠の証明力に対する自由心証主義に対する例外規定として、これを厳格に解釈すべき」ものだとしていますし（昭和三三・五・二八大法廷判決、刑集一二巻一七一三頁）、学説上もそれは自由心証主義に対する唯一の例外であると説かれることが多いのです。

▼「本人の自白」は共犯者の自白も含むか

ところが、右の憲法の規定については、さらに、それが「不利益な唯一の証拠が本人の自白である場合には」というときの「本人の自白」には共犯者の自白も含まれるかどうかについて、従来から争いがあります。右の判例が、それは例外規定で厳格に解する要があるとしたのも、実はこの本人の自白のなかには共犯者の自白は含まれないというためだったのです。しかし、それに対しては最高裁内部でも反対意見がありましたし、いまでも団藤裁判官はこの点について強く判例の変更を求めています（最判昭和五一・二・一九刑集三〇巻二七頁以下）。その理由は、右の憲法規定（刑訴法三一九条二項も同様）は自白の偏重を避けて誤判を防止する趣旨で設けられたものであるが、誤判の危険という点からいえば、本人の自白と共犯者の自白との間に区別はなく、むしろ共犯者甲の自白を唯一の証拠として共犯者乙を罰する場合の方がかえって危険であること、さらにもしそれを含まないとすると、否認した乙は共犯者甲の自白で有罪となるが、自白した甲は無罪になるという奇妙な結果となるということ等です。とくに、団藤裁判官が「刑事訴訟法における自由心証主義はもともと事実認定を合理的ならしめるためにみとめられているものであり、これをさらに合理的なものにするために設けられたのが、憲法三八条三項（なお、刑訴法三一九条二項、三項）の規定なのである。後者を制限的に解釈しなければならない理由は、どこにもない」と述べていることに注目しなければなりません。

▼補強証拠は事実認定の合理性の担保

まったく団藤判事のいわれるとおりです。しかし、憲法三八条三項の「本人の自白」のなかに共犯者の自白も含まれるという条文解釈には些か無理があるようで、判事の立場からしても必らずしもそう解さねばならぬ必要はないように思われます。むしろ、右の自由心証主義はもともと事実認定を合理的ならしめるためにみとめられたものであり、これをさらに合理的なものにするために設けられたのが憲法三八条三項であるという論理をさらに推し進めて、自白の補強証拠に関する右の憲法の規定を、通常考えられているように自由心証主義に対して外部からはめられた異質的な制約、桎梏であり例外であるとみてその解釈を厳格にするのでなく、むしろ、反対に、それは裁判官の自由心証による事実認定の合理性を担保し誤判への顚落を防ぐために設けられた経験則の承認であり、自由心証主義そのものに由来する自己抑制の例示規定であると考えればよいのではないでしょうか。

こうすれば、それは例外規定でなく例示規定であり道しるべ的な規定であるから、本人の自白だけで有罪にできないとされる以上、それより危険な共犯者の自白のみで有罪にすることはなおさら許されないはずだという解釈が可能になると思われます。

▼補強証拠の意義

自白には補強証拠が必要だとする右の憲法の規定は、英米法の証拠法に倣ったものだといわれていますが、英米法だけでなく、古い糺問主義の時代にも、拷問するためにはその前にその者を犯罪者だと疑うに足るだけの証拠がそろっていなければならぬとされたのであって、――「贓証明白ナルニ、招承ニ服セサル者ヲ拷訊ス」という新律綱領の規定はそれを示しています――これは人類の長い歴史によって確立された証拠法上の貴重な経験則なのです。およそ自白が真実である場合には、必らずそれを裏づけるだけの補強証拠があるはずです。本人の自白以外には何らの補強証拠もないという場合には、いやしくも良心の命ずるところ及び理性の照らすところに従って心証を形成すべき裁判官としては、当然にその自白そのものの信用性について疑惑と警戒心を抱くべきです。そんな場合にもなお私は有罪の心証を変えないなどといい張るのは非理性的で独善的な思い上りであって、合理的な自由心証主義とは無縁です。このことは、ことにわが国では、それらの自白調書なるものが、今日でも、被疑者を二十三日間も身柄拘束のまま連日取り調べる捜査機関によって作られるものであること――或るアメリカの学者はこのことを知ってショッキングだと叫びました――及びそれでもなおその自白調書の任意性が裁判所で否定されることはきわめて稀れであるという実情を考えると、当然すぎるほど当然のことだと思われます。憲法が三八条三項の明文をおいたことにはまことに深い意味があったといわなければなりません。なお、裁判を誤判から守るために役立つ経験則は、それ以外にもいろいろあることを記憶しなければなりません。

第一一章　上訴制度

伊達秋雄

I　上訴制度の必要な理由

裁判がなされた以上、もはやこれを変更することができないものとすれば、裁判は迅速にかたづくし、これと違った裁判が出る余地はないから、裁判の権威がゆらぐということもないでしょう。

しかし訴訟の当事者はもちろん、裁判官といえども全能の神ではないので、どんなに慎重に審理をつくしても、裁判には絶対に誤りがないとは保証できないのです。人権に重大な影響のある刑事裁判に誤判があってはならないことはいうまでもありません。そこでよほどの独裁国家でもない限り、法は上訴制度を認めて、誤判を訂正し、事件の正しい解決をはかろうとしているのです。

　ここに裁判の誤りといいましたが、それは本来無罪の事件を有罪とした場合と、逆に有罪の事件を無罪とした場合の二つがあります。犯罪があれば必ず処罰して社会の治安を維持すべきであるという国家の立場からいえば、後者の誤りを見逃すことはできないでしょう。しかし、民主的国家の裁判制度というものは、単に強力な刑罰権をもって治安の維持をはかるというだけのものではなく、人権を保障することに重大な価値を認めているわけですから、むしろ前者の誤りを是正することに重点がおかるべきでしょう。この裁判の近代的理念は、上訴制度の運用と法の解釈についても十分意識され、生かされなければならないと思います。

II　上訴の意義

　ところで上訴というのは、まだ確定していない裁判に対して上級裁判所に不服を申し立てて救済を求める手続を指すもので、すでに確定した裁判に対する不服申立方法である再審（四三五条）とか非常上告（四五四条）などとは区別されています。上訴には、控訴・上告および抗告の三種があって、控訴と上告とは、判決に対する上訴方法であり、抗告は決定という裁判に対するものです。

Ⅲ　旧刑事訴訟法の上訴制度

現行憲法は、旧憲法に比して人権について、はるかに強い保障を与えていることは周知のとおりです。したがって上訴制度も、旧刑事訴訟法当時の上訴制度に比較して、より人権の保障が確保されうるものでなければなりません。ところが、はたしてそうなっているでしょうか。

旧法時代の控訴審は覆審といわれ、不服の申立があれば、経験に富む控訴審の裁判官が、再びはじめから事件そのものを審理し、いいかえれば、自から証拠調をして事実を認定し、法令を適用し、量刑をして判決を言渡すことになっていたのです。そして上告審は、控訴審判決の法令の違反を審査するのが原則ではありましたが、重大な事実誤認や量刑の不当についても、それを理由に上告することが許されていたのです。そして上告審が重大な事実誤認があると認めて事実審理開始決定をした場合には、事件そのものについて審判をしたのです。このように被告人は犯罪事実そのもの（これこそ裁判において一番大切なものです）について、三回も裁判を受けうる権利を認められて、手厚くその人権を保障していたのです。

Ⅳ　現行法の控訴制度

▼事後審としての控訴制度

ところが現行刑事訴訟法では、控訴審は、第一審判決の当否を判断する事後審査審となり、当事者の申立てた控訴理由が認められるかどうかを判断するところとなったのです（もっとも職権による審査もありえますが、それは義務ではありません）。もはや、ここは事件そのものを審理するところではなくなったのです（但し、控訴理由の有無を審査し、原判決を破棄すべき場合に、それまでに得た心証によって事件そのものについて判決をすることはあります。これを自判といっています）。

そのうえ上告審は、きわめて狭く、原判決に憲法違反または憲法の解釈の誤りがある場合、もしくは判例違反がある場合だけが上告理由とされるにすぎません。それ以外の法令違反は、わずかに重要な意味があると認められる場合に例外的に上告事件として受理されるというに止まっています。この上告受理という制度（四〇六条）は、当事者の権利として認められているものではなく、それを受理するかどうかは最高裁判所の裁量に一任されているのです。

ただ判決に影響を及ぼすべき重大な事実の誤認があるとき、法令の違反があるとき、または刑の量定が著しく不当であるときなどについては、原判決を破棄しなければ著しく正義に反すると認められる限り、職権で原判決が破棄されるという仕組とされているのです（四一一条）。

▼事後審とした理由

では現行刑事訴訟法が、人権尊重を建前とする憲法の下で、何故に、国民の基本的権利である裁判を受ける権利の主要部分である上訴権を、右のように制限したのでしょうか。

その理由は次のようにいわれているのです。

結論を先にいえば、第一審を強化充実したから、それで十分だというのです。もう一つの理由は、最高裁判所は、新しく違憲立法審査という重大な役割を与えられたため、従来の大審院のもっていた法令違反の審査は控訴審で行わせることになったので、控訴審の負担を軽くするためにも、手間をかけて事件の審理を再びやり直す覆審制度はとれなくなったというのです。

現行法が制度的にみて、旧刑事訴訟法に比べて第一審を強化充実することに努めていることは、事実でしょう。旧刑事訴訟法と違って、裁判官の予断を排除するために起訴状一本主義（二五六条六項）をとって、裁判官は白紙の心証の下に事件と対決します。伝聞禁止の法則（三二〇条）を採用し、書面審理を排して、反対尋問にさらされた証人の生の証言を直接に聞くことにしています。かように公判を中心として審理を行うばかりでなく、とくに被告人の防御権を尊重してその証拠調の請求を認め、当事者主義の原則によって手続を進めることとなっているので、その判決も、おおむね当事者に妥当なものとして納得がえられるはずであるというのです。旧刑事訴訟法時代の捜査官やその延長線上にあるといわれた予審判事の作成した書面と被告人訊問を証拠の中心とし、裁判所の職権的な取調べで判決した当時とは雲泥の相違があるというのです。

▼**第一審強化の実状**

一応もっともな主張であり、第一審強化の制度的保障は形の上では整備せられているといえましょう。しかし実際にこの制度が活かされ現実に第一審が充用されているかといえば、かなりの疑問のあることは否定できません。

この点について佐伯千仭弁護士は次のようにいわれています。

「実際には、この一審の充実という一番重要な前提が一向に実現せられていないのであって、このことは、従来地方裁判所事件は必ず三人の判事の会議体で行われていたにもかかわらず、今日では地方裁判所の裁判の大部分が単独判事により行われているということを指摘しただけでも明瞭であろう。単独制は従来はただ区裁判所（今日の簡易裁判所）の簡単な事件についてのみ採られた形式である。けだし合議体ならば一人の裁判官の判断の誤りや偏向も他の裁判官による矯正が期待されうるが、単独制ではこれは不可能であって、一度思い込んだことは、自分一人では容易に訂正が利かない。この単独制を重要な地方裁判所事件の審理にまで持込んだときに、事実審を一審切りにするという新刑事訴訟法の前提は、すでに放棄せられているのである。」（刑事裁判と人権五八頁）

厳しすぎる感がないでもありませんが、その指摘は、まさに的を射ていると思います。

このほか、現行法は伝聞法則を採用し直接審理、公判中心主義を徹底したといいますが、実際には刑事訴訟法三二一条一項二号により検察官作成の供述調書は、立法の趣旨とかけ離れてどんどん証拠として採用されているのが現状です。また今日一般化した集中審理なるものも、相当の効果をあけていることは否定できませんが、複雑きわまる事実関係を当事者の主張する争点にしぼって簡略化し、図式化し、しかも短期間に結論をつけようとするためにかえって事件の真相を把握し切れないという恨みが残る場合も少くないのです。ことに最近の下級裁判所では、最高裁の審理促進の意向を受けてか、一律に審理を急ぎ事務的に処理するという傾向が強くあらわれているといわれています。これらの事情は誤判の温床となる危険を多分に内包しているといわざるをえないのです。

そこで控訴審の役割は、いよいよ重大だといわねばなりません。制度的には事後審であるとはいえ、実質的には続審に近い運用によって、当事者の具体的救済をはかるべき事案が相当にあると思われます。かの有名な松川事件、八海事件、青梅事件など、実は事後審的性格の枠を破った思い切った新証拠の取調べによって、はじめて第一審の死刑が無罪とされたのです。

V　控訴審の問題点

▼**控訴理由**

ここで法律論に戻って、控訴審の在り方を現行法に基いて説明しておきましょう。

控訴審は、控訴申立権者（三五一条）の控訴の申立によって行われ、原判決のどの点が不服であるかを控訴趣意書で明らかにしなければなりません。控訴理由は、絶対的控訴理由（三七七条、三七八条）と相対的控訴理由（三七九条乃至三八三条）に区別されています。

このように控訴審の審理は、当事者が明示した控訴理由の有無の調査を巡って展開されるものですが（三九二条一項）、裁判所は、その審理に当って控訴理由以外の原判決の過誤を発見した場合には、補充的に職権でこれを是正することができることになっています（三九二条二項）。

本来、控訴審は常時第一審を監視し、当事者の不服申立もないのに、その誤りを是正するという役割を背おっているものではありませんが、たまたま不服申立のあった事件については、実体的正義の要請の立場から、たとえ当事者の指摘のない点についても、裁判所が積極的にその誤りを是正することは許されるものと考えられているのです。

▼控訴理由の審査と事実の取調

第一審判決の当否を判断するという事後審の性格からいえば、その判断は次のような観点からするのが本来の筋だといわねばなりません。

事実誤認の控訴理由についていえば、第一審の証拠からみて第一審がそのような事実認定をしたことが是認されるかどうかということを控訴審が批判的に判断することになります。そこで法は「控訴趣意書に、訴訟記録及び原裁判所において取り調べた証拠に現われている事実であって明らかに判決に影響を及ぼすべき誤認があることを信ずるに足りるものを援用しなければならない」と規定しているのです（三八二条）。

しかし、この事後審本来の性格を厳格に貫くときは、事件は第一審の攻防だけで勝負がついてしまい、実は他に無罪となる有力な証拠があったとしてももはや第一審判決を覆すことはできません。このようなことでは、真実発見の立場から満足できないことはいうまでもありません。

現行法が施行された直後、控訴審では、事後審の本来の枠を破って、どんどん新証拠を取調べるという実状が続きました。そこで法は昭和二八年（新法施行後四年）に至って、改正を加え、「やむことを得ない事由によって第一審の弁論終結前に取調を請求することができなかった証拠によって証明することのできる事実であって前二条に規定する控訴申立の理由があることを信ずるに足りるものは、訴訟記録及び原裁判所において取り調べた証拠に現われている事実以外の事実であっても控訴趣意書にこれを援用することができる」(三八二条の二)という規定を設け、したがって控訴審で新たなアリバイを主張してそれについて新しい証拠の取調を請求することができるものとしたのです。しかもかような新事実が無罪であるということの証明のために欠くことができない場合には、これに関する新証拠を取り調べなければならないという義務付けまでしたのです(三九三条一項)。このように法は控訴審における新証拠の取調を認めることになりましたが、しかしそれは、あくまで「やむことを得ない事由によって」第一審において取調を請求することのできなかったものに限り、しかもその事由を疎明する資料を添付しなければならないこととしているのです(三八二条の二、三項)。

今日の控訴審の実状をみると、このしぼりを厳格に適用する裁判所もあり、また一般的に、あるいは事件の内容いかんによっては、これをゆるやかに運用し、極端な場合には、このような制約をまったく無視して、事実証明のために必要な証拠がどうかという観点だけからみて、ひろく新証拠を採用している裁判所も少なくないのであります。

量刑不当の控訴理由の判断についても、事後審であれば第一審当時の量刑事情に照して、第一審の量刑が相当であったかどうかを検討すべきです。しかし量刑は、有罪の場合には当事者、ことに被告人にとっては重大な関心事でもあり、本人の一身に関することでもあるので、法は事実誤認の控訴理由の場合と同様の制限の下に控訴審においても新たな事実の主張および新証拠の取り調べを認めているのです（三八一条、三八二条の二）。ことに第一審判決後被害者に対する被害回復が行われたとか、被告人の一身上に変動が生じたとかいうような事情は、量刑について無視できないものですから、法は、裁判所は「必要があると認めるときは、職権で、第一審判決後の刑の量定に影響を及ぼすべき情状につき取調をすることができる。」（三九三条二項）としているのであります。

次に法令の適用の誤りを控訴理由とする場合には、第一審判決当時の法令に照してその適否を判断すべきものであることは事後審の性格上当然です。たとえば、第一審判決当時少年であった被告人に対して少年法を適用してあれば、たとえ控訴審において成年となっていたとしても、法令の適用に誤りがあるとはいえないのです。もっとも後に述べるように、控訴審で第一審判決を破棄して自判する場合がありますが、その場合には、自判の時を標準として法令の適用をすべきですから、少年法を適用をすることは許されません。

▼事実の取調の性格

控訴審の取調は、事後審としての取調、つまり控訴理由の存否の調査のために行うものです。したがって事実の取調の範囲も、事後審という観点からおのずと制約されざるをえません。

旧刑事訴訟法の下で、大審院が上告審で事実審理（旧刑事訴訟法四四〇条）を行うことがありましたが、それは「被告事件ニ付キ」なされるもので、ひとたび事実審理開始決定がなされると、上告審の事後審査的性格は一変して覆審となるもので、これとは趣を異にしています。

控訴審では、たとえば控訴理由が事実誤認の主張であれば、原判決の認定した事実について、訴訟記録および原審で取り調べた証拠、さらに控訴審でした事実の取調の結果に基いて、第一審判決と同じ心証（たとえば有罪の心証）に達して、第一審判決が是認される場合はもちろん、このような高度の心証の域に達しない場合でも、（控訴審は第一審と異なり書面審理が中心になるから、第一審と同じような有罪の心証に達することが難しい場合があるのは当然です）、第一審の事実認定が経験則に反するとか、合理性を欠き納得できないという欠点もなく、そのように認定できないこともないと判断されるような場合でさえも、事実誤認があると積極的に断定はできないので、控訴は理由がないといわざるをえないのです。

もし控訴審が覆審であれば、積極的に有罪の心証がえられない限り、被告人は無罪となりうる余地があるのと比較して事後審は、被告人にとって不利に機能することになるわけです。この点真実発見の立場からいえば、今日の控訴審の運用に十分の配慮が要請されるところです。

▼原判決の破棄と自判判決

右に述べたように控訴審の審理は、控訴理由の有無の調査のために行われるものですが、調査の結果、控訴理由があると認められるばかりでなく、自から事件そのものについて判断をなしうる心証に達したり、量刑をしたり、法令の適用をしたりすることが可能となる場合も多々あるのです。本来控訴審は事後審ですから、控訴理由がある場合には、原判決を破棄して事件を第一審に差し戻すのが原則です(三九七条)。しかし、右のような場合にまで差戻をして、第一審の審理を繰り返させることは、裁判所にとっても不経済であり、当事者にとっても益するところはないので、法は、このような場合には、控訴審において事件そのものについて自判することができるものとしています(四〇〇条)。今日では原判決を破棄する場合、原審に差し戻す方が、かえって例外となっている実情です。

もっとも第一審の無罪判決を事実誤認として破棄して有罪の自判をするには、第一審の訴訟記録および証拠だけですることは、刑事裁判の大原則である直接審理主義と口頭弁論主義の要請にも反しますので、必ずそれ以外の事実の取調をする必要があるものとされています。別段このような規定があるわけではありませんが、最高裁の判例で確定しているところです。もっとも、どの程度の事実の取調が必要かということについては、明らかでありませんが、少くとも事実認定を変更するに必要な限度での罪体についての事実取調をする必要があるとみる説が正しいと思われます。それにしても、控訴審の事実認定は、書面が中心となりますから、無罪の認定を有罪に変更するには、よほど心証のはっきりした場合に限るべきものというべきです。

これに反し量刑不当の控訴理由を認めて、控訴審で量刑を変更する場合には、たとえば第一審の無期懲役を死刑に変更する場合でも、最高裁判例は、必ずしも新たな事実の取調を必要としないとの見解をとっています。異論のあるところですか、量刑は事実認定と違って、価値判断によって左右されるところが多く、直接審理の要請も絶対のものともいえないので、妥当論としてはともかく、法律論としては、違法とまではいい切れないのではないかと思われます。

Ⅵ　上告制度の概観

上告は、第二審の判決に対する上訴であって（但し、高等裁判所が第一審として判決をし、または跳躍上告のように控訴を省略しうる場合には、第一審判決に対しても上告が許されます）最高裁判所が管轄することになっています（裁判所法七条一号）。旧刑事訴訟法では、控訴審が覆審となっていたため、上告審ではじめて法令の解釈の統一をはかる役割を果たしたのであります。同時に事件の具体的妥当性を重ずるという立場から、事実誤認および量刑不当についても審査しうるものとしていたことは前に述べたとおりです。

ところが現行法では、控訴審を第一審判決に対する事後審査の審級に改め、第一審判決の法令違反についても審査しうることとなりました。したがって、上告審において法令違反を審査することは手続の重複となるばかりでなく、最高裁判所は新憲法によって法令の違憲審査権という重要な任務を与えられ（憲法八一条）、そのうえ、裁判所に関する行政事務まで負わされ（裁判所法一二条、旧憲法下では司法行政事務は今日の法務省にあたる司法省が掌っていました。これは司法の独立の立場から問題があるので、今日のように改正されたのです）、しかも最高裁判所裁判官の数は一五名に制限せられたため（同法五条）、事務負担を軽減しなければならないという必要もあって、上告審の構造機能は旧憲法下の大審院と質的に異なる構想をとることとなったのです。

そこで、現行法における上告審は、上告理由として、まず第一に違憲問題をとり上げるとともに、法令違反については、特に法令解釈の統一の必要が現実に生じている判例違反のみをとり上げることにしたのです。当事者が主張しうる上告理由は、右の二つに限られるわけですが、法はこのほかに法令の解釈に関する重要な事項を含む事件については、上告受理の制度を設けています。

さらに、上告申立事件について、最高裁が職権調査をすることができる場合を、広く法令違反、量刑、主要な事実誤認その他の場合についても認めて、これらの事由があって原判決を破棄しなければ著しく正義に反するものと認めるときは、原判決を破棄することができるものとして、当事者の具体的救済をはかるものとしているのです（四一一条）。

Ⅶ　上告理由

上告理由は、憲法違反と判例違反に限られます。

ここに憲法違反といっているのは、憲法の違反があることまたは憲法の解釈に誤りがあることです（四〇五条一号）。「憲法の解釈の誤」とは、原判決が、控訴理由に対する判断または職権による判断において、憲法上の解釈を示している場合に、それが誤りであることをいいます。「憲法の違反」があることとは、右以外の場合で、控訴審における判決および訴訟手続における憲法違反をいうものです。たとえば、控訴審判決が、破棄自判をする場合に、自白を唯一の証拠として犯罪事実を認定したとき（憲法三八条三項）、残虐な刑を言い渡したとき（憲法三六条違反）、公判の手続が公開の原則に反したとき（憲法八二条）のような場合を指すのです。

判例違反というのは、最高裁判所の判例と相反する判断をしたこと、最高裁判所の判例のない場合に、大審院もしくは上告裁判所である高等裁判所の判例または、現行刑事訴訟法施行後の高等裁判所の判例と相反する判断をしたことを指します。

ここにいう「判例」とは何かということは、難しい問題ですが、具体的事件に対して裁判所の示した判断で、これと類型を同じくする事件に対しても適用されうると認められる法律的判断をいうものと定義しておきましょう。判例という以上、単にその事件限りに妥当するものではなく、それを超えそれと同類型の事件に対しても一般的に妥当する法的判断でなければなりません。

判例違反を上告理由としたのは、これによって法令解釈の統一をはかる目的でありますから、ここにいう判例は法的判断でなければなりません。したがって事実認定とか量刑が類似の事件と異っているということは、判例違反ということはできません。また法的判断といっても、結論的判断を指すもので、結論を導き出すに至った前提となる法律的な理由づけそのものではありません。いわゆる傍論といわれるものは、判例とはいえないのです。

なお判例といわれるためには、必ずしも公刊の判例集に掲載されていることは必要ではありません。また公刊されている最高裁判所判例集には判決要旨として要約されている部分がありますが、この部分だけが判例というものではありません。

Ⅷ　上告における職権調査

上告審では、上告趣意書に包含された事項については、必ずこれを調査しなければなりませんが（三九二条一項・四一四条）、それ以外の事項であっても、上告理由にあたるものについては、職権で調査することができることは、控訴審の場合と同じです。

右のような上告理由の存否の判断のほか、今日上告審の機能として重要な意義をもっているものは刑事訴訟法四一一条の職権による原判決の破棄です。同条は、上告理由がない場合でも次の理由があって著しく正義に反すると認めるときは、判決で原判決を破棄することができると規定して、(1)判決に影響を及ぼすべき法令の違反があること、(2)刑の量定が甚しく不当であること、(3)判決に影響を及ぼすべき重大な事実の誤認があること、(4)再審の請求をすることができる場合にあたること、(5)判決があった後に刑の廃止もしくは大赦があったことをあげています。

この職権調査の発動を求める趣旨で、実務においては、弁護人からこれらの事由を上告理由として上告のなされる場合が多く（このために上告受理の制度は、あまり活用されていません）、そのために最高裁判所は事件数の増大に苦しみ、一時は最高裁の機構改革問題にまで発展したこともありましたが、今日は小康をえているようです。しかし、これらの事由、ことに事実誤認の問題は、人権の核心にふれる問題であり、刑事裁判の生命ともいうべきものですから、被告人が最高裁判所に寃罪を訴え、その救済を求めることは人情の自然でもあり、最高裁判所としても、これに救済の手をのばすことは当然の責務でしょう。最高裁判所発足以来、違憲判決は僅かに三十件そこそこで、不満の声もきかれますが、死刑事件など重大事件についての事実誤認の職権調査については、かなり積極的に取組んでいることは評価してよいと思います。

第一二章　再　審

小田中聰樹

I　誤判と再審

▼誤判の悲劇

裁判に誤りがあってはならない、とりわけ有罪とすべきでない者を誤って有罪とするようなことが絶対にあってはならないということは、刑事裁判の公理ともいうべき基本原理です。この基本原理を現実の刑事裁判の場でできる限り実現するために、「疑わしいときは被告人の利益に」ということが裁判の鉄則とされ、この鉄則にしたがっていろいろな制度や手続が設けられています。その意味では、刑事裁判の制度と手続は誤判防止のシステムそのものである、といってもけっしていいすぎではありません。

ところが、現実には誤判の悲劇の生ずることが稀れではありません。外国の誤判の有名な例として、フランスのドレフュス事件があります。この事件は、一八九四年叛逆罪（スパイ行為）を犯したとしてユダヤ人大尉ドレフュスがパリ軍法会議により有罪（終身禁錮流刑）の判決をうけた事件です。これに対しドレフュスは無実を主張し、エミール・ゾラをはじめとする人々の支援をうけ、一八九九年再審を開かせることに成功したのですが、レンヌ軍法会議は政治的考慮から再びドレフュスを有罪としたのでした。しかし、一九〇六年破毀院はついに有罪判決を破棄し、ドレフュスの無罪を認めるに至りました。

このドレフュス事件は、フランスはもちろんのこと、全世界の関心を集め、フランスの政治、社会、文化に大きな影響を与えましたが、それと同時に刑事裁判における誤判の悲劇性と重大性を世間一般の人々に衝撃的な深さで印象づけたのでした。そしてフランスでは誤判を正すための制度として再審が注目され、これをきっかけにして再審を開始するための要件（再審理由）が緩和されていったのでした。

わが国でも、誤判の悲劇はけっして稀れではありません。古くは、大逆事件の例があります。明治天皇の暗殺を計画し準備したとして幸徳秋水、管野すがなど社会主義者二六名が大逆罪に問われて公判にかけられ、そのうち二四名が死刑を言い渡されました。一九一一年のことです。しかし、この事件は、全体としてみれば、警察、検察、裁判所が一体となって、被告人たちの断片的な言動をよせ集めて社会主義者の天皇暗殺計画なるものを強いて作りあげていったのではないかという疑いが濃いものです。その意味で、大逆事件判決は誤判の疑いのつよいものです。しかし東京高等裁判所は、一九六五年に再審請求を却け、誤判を正すべき機会を逸したのでした。

さて、今までみてきた例は、いずれもいわば政治的な事件でしたが、ふつうの刑事事件の場合でも誤判の悲劇が生ずることがあります。吉田巌窟王事件がその例です。吉田石松氏が愛知県下で発生した強盗殺人事件の主犯として他の共犯者二名とともに起訴されたのは一九一三年のことでした。吉田氏は、拷問に屈することなく犯行を否認し続けましたが、他の者の自白によって有罪（無期懲役）とされました。その後も吉田氏は無実を主張し、五度にわたって裁判所に対し再審を開くことを請求しました。そしてついに一九六二年に第五次再審請求が認められ、翌年名古屋高等裁判所によって無罪の判決が言い渡されたのでした。実に五十年ぶりに冤罪を晴らすことができたのです。

この吉田石松氏と同じような苛酷な運命にさらされた人に、加藤新一氏がおります。加藤氏は、一九一五年山口県下で発生した強盗殺人事件の犯人として他の共犯者一名とともに起訴され、有罪（無期懲役）を言い渡されました。しかし加藤氏は、一貫して犯行を否認して無実を主張し、六度にわたり再審を請求しました。そしてついに一九七六年に第六次再審請求が認められ、翌年広島高等裁判所により無罪が言い渡されました。事件発生後六二年ぶりのことでした。

このような誤判の悲劇の例を見てくると、二つの素朴な疑問が浮かんでくるでしょう。一つは、なぜ誤判が起こるのか、という疑問です。もう一つは、誤判を正す制度と手続は一体どうなっているのか、という疑問です。

▼誤判の原因

なぜ誤判が生ずるのか、その原因は何かという点について、これまでいくつかの事例研究があります。たとえば、外国ではエーリッヒ・ゼロの『刑事司法の過誤とその原因』（一九一一年）、ジェローム・フランクらの『無罪』（一九五七年）、マックス・ヒルシュベルクの『刑事訴訟における誤判』（一九六〇年）、カール・ペータースの『刑事訴訟における誤判の原因』（一九七〇～七二年）などがあります。わが国でも、藤野英一『事実認定における実験則の実証的研究――特に再審となった刑事事件に現われた事実認定の過誤とその原因について』（司法研究報告書一一輯二号、一九五九年）、法務研修所『起訴後に真犯人の発見された事件の検討』（検察研究叢書一四・一五・一七号、一九五四年）などがあります。また最近の日本弁護士連合会編『再審』（一九七七年）は、再審問題のみならず誤判の原因についても鋭い分析を加えており、貴重なものです。

これらの事例研究の結果としていえることは、誤判の原因の中心的なものは、①捜査機関（警察・検察）の治安維持的地位から生ずる意識的または無意識的な見込や判断の誤り、②その誤った見込や判断を根拠づけるために強引に行われる違法な捜査（虚偽自白の強要や虚偽証言の誘導、さらには物証の偽造や変造とそれによる鑑定過誤の誘発など）、③誤った違法な捜査に無批判に依存し、「疑わしいときは被告人の利益に」の鉄則をはじめとする証拠法則をルーズに運用して行われる裁判所の安易な事実認定などである、ということです。そうだとすると、誤判の原因は刑事手続の構造的な特質そのものに由来するものであり、これを除去し克服することはけっして容易なことではないことになります。いうまでもなく、人間の判断は誤りがちです。その意味でも誤判の原因を完全に克服し誤判を根絶することは、不可能というべきでしょう。しかし刑事裁判の場合には、右のような一般論に加えて、誤った予断や偏見をもちがちな捜査機関がそれを根拠づけ正当化するための強力な権限と手段を与えられており、しかも裁判所がこれに無批判に依存する傾向がつよいという、刑事裁判特有の事情がつけくわわるという点を見逃すことができません。

そうだとすれば（そうであるだけに、というべきかもしれません）、誤判を正し、誤判に泣く者を救済する制度と手続は、極めて重要であるといわなければなりません。

▼誤判救済と再審

誤判を正すための制度としてドイツ、フランスなどヨーロッパ大陸法系の国々において中心的な役割を果しているのは、再審です。

わが国でも、最初の近代的な刑事訴訟法典である治罪法（一八八〇年制定）がフランス治罪法（一八〇八年制定）をモデルとしていたため、大陸法系の国々と同様に再審制度が誤判是正の中心的な制度として設けられました。しかも特徴的なことは、フランスと同様に、被告人に利益となる場合にだけ誤判是正を認めるといういわゆる利益再審の制度をとり、被告人に不利益な再審を認めなかったことでした。ところが、一九二二年に新たに制定された刑事訴訟法（旧刑事訴訟法）は、ドイツ刑事訴訟法（一八七七年制定）にならって再審制度に変革を加えました。それは、不利益再審を導入したことです。これは、再審を、誤判で苦しむ被告人を救済する制度として「人権の論理」で把えるのではなく、むしろ裁判ないし国家の権威を守る制度として「国家の論理」で把えようとしたことの表れだといっていいでしょう。もっとも、この国家的論理を完全に貫こうとするならば、利益再審を開始すべき理由と不利益再審を開始すべき理由とは同一でなければならないでしょう。ところが、旧刑事訴訟法は、利益再審について証拠の新規性と明確性があれば再審を開始するという包括的な再審理由を設け、その限りで利益再審を重視する立場をとったのでした。しかし、この包括的な利益再審理由が裁判所によって厳格に解釈されたため、再審制度は、誤判に泣く被告人を救済する機能を営むことがきわめて困難でした。このようにして再審制度は、むしろ再審を開かないことによって裁判（国家）の権威を守ろうとするものであったのです。

ところが、第二次大戦後、再審制度は根本的な変革を迫られることになりました。それは、新しく制定された日本国憲法が不利益再審を禁ずる趣旨の規定を置いたからです。すなわち憲法三九条によれば、「何人も、実行の時に適法であった行為又は既に無罪とされた行為については、刑事上の責任を問はれない。又、同一の犯罪について、重ねて刑事上の責任を問はれない。」とされており、一旦無罪となった人について再審を開いて有罪とすることは右の規定（これは一般に一事不再理の原則とよばれています）に反すると考えられるからです。そこで、一九四八年に制定された現行刑事訴訟法は、不利益再審を廃止し、利益再審のみとしました。再審制度のこの変革は、この制度が、国家ないし裁判の権威の擁護のための制度から誤判に泣く被告人を救済し「公正な裁判を受ける権利」を保障するための制度へと理念的な変化を遂げたことを意味するものでした。そしてこの理念にそって再審の運用は大きく変化しなければならなかったはずでした。

ところが、この理念的な転換は、理論のうえでも裁判実務のうえでも、なかなか理解されませんでした。そしてこのことが、数多くの誤判事件について再審の門戸を開くことを妨げてきたのでした。しかし、まえに触れた吉田巌窟王事件や大逆事件、さらには金森事件（一九七〇年一月二八日再審無罪）などの経験を経ながら、憲法的理念に立脚した新しい考え方が徐々に力を増していき、ついに一九七五年五月二〇日の最高裁判所（第一小法廷）決定（これは白鳥事件の再審請求に関する決定なので、一般に白鳥決定とよばれています）を生みだしたのでした。この最高裁白鳥決定は、再審を開始すべきか否かの判断に当っては「確定判決における事実認定につき合理的な疑いを生ぜしめれば足りるという意味において、『疑わしいときは被告人の利益に』という刑事裁判における鉄則が適用されるものと解すべきである」、という新しい見解を打ちだしたもので、再審を誤判救済の制度としての機能を営ませるための理論的な支柱を提供したのでした。そしてその後、弘前事件（一九七六年再審開始決定、一九七七年再審無罪）、加藤事件（一九七六年再審開始決定、一九七七年再審無罪）、米谷事件（一九七六年再開始審決定、一九七八年再審無罪）、財田川事件（一九七九年再審開始決定、即時抗告中）、松山事件（一九七九年再審開始決定、即時抗告中）など、再審の流れを大きく変える動きがあいついで起こり、再審の門戸は誤判に泣く被告人のために開かれ始めるようになりました。

II 再審制度の理念と手続

▼再審制度の理念

これまで述べてきたところからもかなり明らかになったように、再審制度は被告人のための誤判救済の制度です。一般に誤判といわれているもののなかには、有罪とすべきものを誤って無罪、免訴、または軽い罪での有罪とするという誤判もあります。そしてこの誤りは、裁判ないし国家の権威という点からみれば放置できないともいえるでしょう。旧刑事訴訟法はこのような考え方に立ってその誤りを正すための不利益再審を認めていました。もっとも、一旦確定した裁判を誤りであったとして破棄して裁判をやり直すことを認めることは、そのこと自体裁判ないし国家の権威を傷つけるともいえます。裁判ないし国家の権威の観点からみる限り、ここにジレンマがあるわけです。このジレンマは、理論的には法的安全性（実体的確定力）と実体的真実との対立・相剋として把えられ、この対立・相剋をどこで調和させるべきかが再審の理論的問題の中心だとされてきました。そして実際には、法的安全性（実体的確定力）を重視し、一旦確定した判決に疑いをさしはさむことをできる限り許さないとすることが裁判ないし国家の権威を保持することになるという考え方が圧倒的につよかったのです。再審が「開かずの門」に等しかったのは、このような考え方がこれまで学説と裁判実務の間に疑問を抱かれることなく信奉されてきたからでした。

しかし、再審制度は、裁判ないし国家の権威一般を守るための制度ではありません。それは、被告人（国民）の「公正な裁判を受ける権利」に基礎をもつところの、被告人のための誤判救済の制度であり、その意味で人権擁護の制度なのです。このことは、すでにのべたように、憲法三九条が条文で明らかにしているところであり、その趣旨に従って不利益再審が廃止されたのでした（もし再審が依然として裁判ないし国家の権威一般を守るための制度であるとするのなら、なぜ不利益再審を廃止したのかを説明できないでしょう）。このような新しい考え方は、再審の理論的問題の中心を、法的安全性（実体的確定力）と「公正な裁判を受ける権利」との対立の問題として把えようとします。もっとも、法的安全性（実体的確定力）という国家的利益は「公正な裁判を受ける権利」という基本的人権に優越できないこと、また法的安全性（実体的確定力）というものも、実は国家的利益そのものに基礎を置くのではなく、被告人の利益に基礎を置くものであって、その意味ではいわば相対的なものであることなどを考えますと、法的安全性（実体的確定力）と「公正な裁判を受ける権利」との対立は同じ次元のものではありえず、後者の優位性は明らかだというべきです。

▼再審手続の概要

再審手続は、再審開始手続と再審審判手続の二段階からなりたっています。まず再審開始手続をみますと、再審請求権をもっているのは、①有罪の言渡を受けた者（又はその法定代理人・保佐人）、②その者が死亡しまたは心神喪失のときは配偶者、直系親族、兄弟姉妹、③検察官です（刑訴法四三九条）。再審請求は、原判決をした裁判所が管轄します（刑訴法四三八条）。その請求は、刑の執行が終り、またはその執行を受けることがないようになったときでもすることができます（刑訴法四四一条）。再審請求には刑の執行を停止する効力がありません。但し、検察官は再審請求についての裁判があるまで刑の執行を停止できます(刑訴法四四二条)。

再審の請求は、次の場合で、有罪の言渡をした確定判決に対して、その言渡を受けた者の利益のためにのみなすことができます(刑訴法四三五条)。

一 原判決の証拠となった証拠書類又は証拠物が確定判決により偽造又は変造であったことが証明されたとき。

二 原判決の証拠となった証言、鑑定、通訳又は翻訳が確定判決により虚偽であったことが証明されたとき。

三 有罪の言渡を受けた者を誣告した罪が確定判決により証明されたとき。但し、誣告により有罪の言渡を受けたときに限る。

四 原判決の証拠となった裁判が確定裁判により変更されたとき。

五 特許権、実用新案権、意匠権又は商標権を害した罪により有罪の言渡をした事件について、その権利の無効の審決が確定したとき、又は無効の判決があったとき。

六 有罪の言渡を受けた者に対して無罪若しくは免訴を言い渡し、刑の言渡を受けた者に対して刑の免除を言い渡し、又は原判決において認めた罪より軽い罪を認めるべき明らかな証拠をあらたに発見したとき。

七 原判決に関与した裁判官、原判決の証拠となった証拠書類の作成に関与した裁判官又は原判決の証拠となった書面を作成し若しくは供述をした検察官、検察事務官若しくは司法警察職員が被告事件について職務に関する罪を犯したことが確定判決により証明されたとき。但し、原判決をする前に裁判官、検察官、検察事務官又は司法警察職員に対して公訴の提起があった場合には、原判決をした裁判所がその事実を知らなかったときに限る。

再審の請求をうけた裁判所は、必要があるときには、再審請求の理由について事実の取調(証拠調)を行います(刑訴法四四五条)。その取調の際に、再審を請求した側がどのような権利をもつのか(例えば、証拠の閲覧謄写権、証拠調請求権、証拠調立会権などをもつのか)については、明文の規定がありません。

再審の請求をうけた裁判所は、その請求が理由のないときにはこれを棄却します。またその請求が法令上の方式に違反し、または請求権の消滅後になされたときも棄却します(刑訴法四四六条、四四七条)。再審の請求が理由のあるときは、再審開始を決定します。この決定をしたときには、裁判所は刑の執行を停止することができます(刑訴法四四八条)。

再審請求棄却決定または再審開始決定のいずれの決定に対しても、検察官または請求人側は、いずれも即時抗告してさらに上級審の判断を仰ぐことができます(刑訴法四五〇条)。

次に再審審判手続をみることにしましょう。

再審開始決定が確定すると、裁判所は、原判決の審級に従い審理し、裁判します（刑訴法四五一条）。その手続は、おおむね通常の訴訟手続に従って行われます。審理の結果、無罪の判決が言い渡されたときには、その判決は官報や新聞等に掲載され公示されなければなりません（刑訴法四五三条）。審理の結果再び有罪の判決を下すことは禁じられていません。

▼証拠の明白性

再審理由のうちでもっとも中心的なのは、刑訴法四三五条六号の「無罪を言い渡すべき明らかな証拠をあらたに発見したとき」という規定です。これは、証拠の新規性と明白性と一般に呼ばれているものです。この証拠の新規性と明白性についてどのような理論（解釈論）を展開するかは、再審の運用を左右する大きな問題です。とくに証拠の明白性の点は、再審が被告人のための誤判救済の制度となるか、誤判隠蔽の制度となるかを決める決定的要因なのです。

ところで、すでにみたように再審手続は、再審開始手続と再審審判手続との二段階からなりたっていますが、このような手続構造は再審理由（とくにいわゆる明白性）のあり方に深く関わってきます。というのは、再審理由（明白性）を厳格にすればするほど、再審開始手続のウエイトが大きくなる反面、再審審判手続は形式化して事実上無意味なものとなり、再審手続は再審開始手続に一元化していきます。逆に再審理由（明白性）を緩めれば緩めるほど再審開始手続は形式化して事実上無意味なものになり、再審手続は再審審判手続に一元化していくことになるからです。

さきにのべた再審制度の基本理念に立って考えてみれば、被告人の誤判救済の請求に対しては、その理由のないことが明白でない限り、原則として再審を開くべきだとも考えられます。ただし、裁判所の無駄な労力は極力回避しなければなりませんし（この点は明白性に関係してきます）、また三審制度の枠のなかで誤判を防止することが望ましいのですから（この点は新規性に関係してきます）、このような政策的観点にたって再審理由（明白性と新規性の程度）を誤判救済の機能を損わない限度（その枠内）で設定しなければならないように思われます。

それでは、被告人のための誤判救済の観点からみる場合、明白性はどの程度のものとして把えるべきなのでしょうか。これまでの考え方によれば、この明白性とは、有罪等の確定判決を覆し無罪等の事実認定に到達する「高度の蓋然性」を意味するものとされてきました。そしてこのような考え方が実質的に意味していたのは、請求人（被告人）側が無罪（無実）であることについて疑いが残らないほどに完全に証明しない限り再審を開くべきでないという考え方だったのです。しかし、この考え方は、無実の立証責任を請求人（被告人）側に事実上負わせることによって再審開始の余地を極度に狭いものにし、誤判救済の機能を奪うことになるという点で、極めて疑問であるといわなければなりません。また、この考え方は、再審請求手続の存在意義を奪う点でも問題があります。

これに対し、再審の誤判救済の理念に立脚して新しい考え方を打ち出したのが最高裁白鳥決定（前掲）でした。この決定は、証拠の明白性について次のように述べています。

「同法（刑訴法――引用者注）四三五条六号にいう『無罪を言い渡すべき明らかな証拠』とは、確定判決における事実認定につき合理的疑いをいだかせ、その認定を覆すに足りる蓋然性のある証拠をいうものと解すべきであるが……（中略）、この判断に際しても、再審開始のためには確定判決における事実認定につき合理的な疑いを生ぜしめれば足りるという意味において、『疑わしいときは被告人の利益に』という刑事裁判の鉄則が適用されるものと解すべきである。」

このような新しい考え方は、理論的にはまだ検討すべき余地を残しているとはいえ、再審を誤判救済のための制度として活性化させる理論的支柱となるものとして、多くの学者や裁判実務家の支持をえており、また前に述べたように弘前事件、加藤事件、米谷事件、財田川事件、松山事件について再審開始の動きを生みだすことに成功しています。

なお、明白性に関しては、右のような明白性の程度の問題のほかに、明白性の判断方法の問題があります。①明白性は新証拠のみによって判断すべきか、それとも既存の旧証拠とあわせて総合的に判断すべきか、②明白性の判断に当って再審請求を受理した裁判所は、原判決をした裁判所の有罪心証を引き継ぐべきか、それとも旧証拠を再評価しそれと新証拠とをあわせて総合的に判断して原判決が覆る蓋然性があるかどうかを判断すべきか、という問題です。誤判救済の観点からは、①②いずれの点についても後者の説、すなわち再評価した旧証拠と新証拠とを総合的に評価して判断すべきだとする考え方が正しいと思われます。最高裁白鳥決定もこの考え方をとり、「明らかな証拠であるかどうかは、もし当の証拠が確定判決を下した裁判所の審理中に提出されていたとするならば、はたしてその確定判決においてなされたような事実認定に到達したであろうかどうかという観点から、当の証拠と他の全証拠とを総合的に評価して判断すべき」である、としています。

▼証拠の新規性

証拠の新規性については、まず証拠方法（例えば証人）として新たな場合に限られるか、それとも証拠資料（例えば証言）として新たであればよいかという問題がありますが、後説が通説、判例です。

次に、当該証拠が原判決の言渡前にすでに存在していた場合に限られるか、それとも言渡後に発見され新たに存在するに至ったものを含むかということが問題ですが、これも後説が有力です。

一番問題なのは、発見が新たというのは、当事者にとってそうであることをいうのか、それとも裁判所にとってそうであれば足りるのか、という点です。この点について説が分かれており、①再審請求者が新証拠の存在について不知であることが必要であるとする説、②新証拠の存在を知りながら請求者がそれを提出しなかった事由ごとに場合を分けて考えるべきだとする説、③新規性を相対的に把え、例えば身代り犯人本人からの再審請求には新規性を認めないが検察側からの請求にはそれを認めようとする説、④新規性は裁判所について存在すれば足りるとする説などがあります。問題は、身代り犯人からの再審請求について新規性が認められるかどうかにあります。①②③の説はこれを否定し、④はこれを肯定するのですが、誤判救済という再審の制度理念にもっともよく合致するのは④の説でしょう。違法な身代り行為に対しては、誤判維持による制裁を加えるのではなく、誤判は正したうえで身代り行為自体の刑事責任を追及するのが筋だからです。

III 再審制度改正の展望

▼新しい流れをめぐる対立

すでに述べたように、再審を名実ともに被告人のための誤判救済の制度としようという考え方は、最高裁白鳥決定以後、学説や裁判実務の間で有力になってきており、再審の新しい流れを作っています。しかしこの新しい考え方に対しては、裁判ないし国家の権威を重視する立場から根強い批判が今もなおあることは否定できません。財田川事件や松山事件について検察側が再審開始決定に対して即時抗告を申し立ててあくまで争う態度を示しているのは、その表れだといっていいでしょう。

▼再審制度改正の焦点

そこで、最高裁白鳥決定の精神にそって再審を誤判救済の制度として確立するためには、再審に関する刑事訴訟法の規定を改正しなければならないという意見が日本弁護士連合会をはじめ各方面から出されています。改正の焦点は、再審理由の緩和・拡大と再審請求手続における請求人側（被告人側）の諸権利（前述）の拡大とです。

再審制度は、これからもいろいろな紆余曲折を辿るでしょうが、被告人のための誤判救済の制度として発展することが強く期待されます。

＊編者紹介＊

佐伯 千仭（さえき・ちひろ）

昭和5年京都大学卒業と同時に同大学助手（刑事法専攻）。昭和7年京都大学助教授。昭和8年依願退職，立命館大学教授。昭和9年京都大学助教授に復職。昭和16年京都大学教授。昭和22年退職，弁護士。昭和26年法学博士。昭和29年立命館大学教授。昭和48年定年退職。現在，立命館大学名誉教授，弁護士。

〔主要著書〕　刑法における期待可能性の思想（有斐閣），刑法における違法性の理論（有斐閣），刑事裁判と人権（法律文化社），法曹と人権感覚（法律文化社），刑法講義〈総論〉（有斐閣），刑事訴訟の理論と現実（有斐閣），等。

有斐閣新書　　刑事訴訟法の考え方

1980年6月20日　初版第1刷印刷
1980年6月30日　初版第1刷発行 ©

編　者　佐 伯 千 仭

発行者　江 草 忠 允

発行所　株式会社 有 斐 閣
〒101 東京都千代田区神田神保町2—17
電話（03）264-1311　振替 東京 6-370
京都支店〔606〕左京区田中門前町44

落丁本・乱丁本はお取替えいたします　内外印刷・新日本製本

★定価はカバーに表示してあります

《有斐閣新書》の刊行に際して

今日ほど教育の問題が関心を集めた時代がかつてあったでしょうか。戦後の教育改革からすでに三十年、昨今の高校・大学進学率ひとつをとってみても、そのはげしい変化には驚くべきものがあります。これらの変化は高度経済成長がもたらした「消費革命」とはまったく質を異にする新しい時代の到来を感じさせます。それは一種の「意識革命」というべきものかも知れません。このような時代のなかで、きわめて多数の人びとが、主体的にあるいは創造的に「学び」かつ「知る」という欲求を強くもちはじめています。大学をはじめとするさまざまな学校、市民生活の場としての地域や職場で多種多様な講座がもたれるようになりました。現代が「開かれた大学の時代」とか「生涯教育の時代」とよばれるゆえんであります。

小社は、これまで《有斐閣双書》《有斐閣選書》をはじめとする出版活動をとおして、社会科学・人文科学の諸分野にわたる専門知識を広く社会に提供する努力をつづけてまいりましたが、このたび「専門知識を万人に」の願いをこめて、新しい時代にふさわしい出版企画《有斐閣新書》を、創業百周年記念出版のひとつとして発足させることにいたしました。

《有斐閣新書》は、現代人の多様な知的欲求に応えようとするものであり、小社が永年培ってきた学術出版の伝統を生かした新しいタイプの基本図書であります。この点で、本新書は、これまでの一般教養向きの新書とはまったく性格の異なる出版企画であり、現代における学術知識の普及への新しい使命をになうものと言えましょう。

《有斐閣新書》は、新書判というハンディな判型の中で最新の学問成果を平明に解説し、必要にして十分な内容を収めるとともに、古典の再発見に努めるなど、現代に生きるすべての人びとにとって、学問の扉をひらく際のよきガイドブックとなることを意図しております。読者のみなさまの一層のご支援をお願いしてやみません。

（昭和五十一年十一月）

刑事訴訟法の考え方 〈有斐閣新書〉(オンデマンド版)

2015年6月1日　発行

編　者　佐伯　千仭
発行者　江草　貞治
発行所　株式会社 有斐閣
〒101-0051　東京都千代田区神田神保町2-17
TEL　03(3264)1314(編集)　03(3265)6811(営業)
URL　http://www.yuhikaku.co.jp/

印刷・製本　株式会社 デジタルパブリッシングサービス
URL　http://www.d-pub.co.jp/

AH252

ISBN4-641-91633-0　Printed in Japan